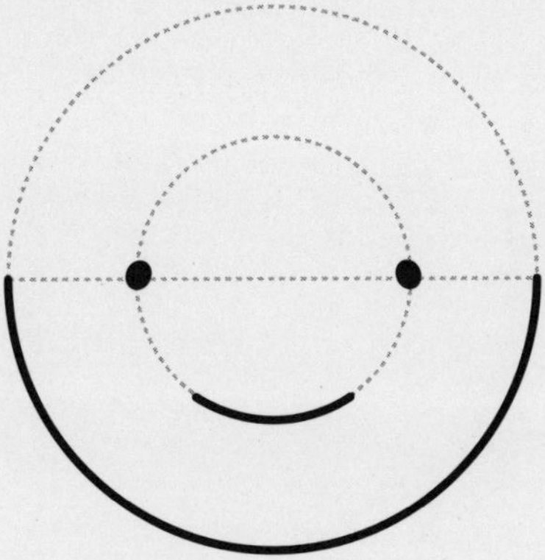

本書のChapter2を読んで自分や親しい人の似顔絵を描いてみよう！

その場で「聞く・まとめる・描く」

# グラレコの基本

本園大介
Motozono Daisuke

日本実業出版社

# はじめに

「グラレコって楽しそう」
「自分もグラレコが描けるようになりたい」
「グラレコを仕事で使ってみたい」

本書は、「グラレコ（グラフィックレコーディング）」に興味を持った人やグラレコの方法を知りたい人に、「グラレコの基本」を紹介する本です。

## グラレコは「対話の技術」

「グラフィックレコーディング（Graphic Recording）」とは、その名の通り、「絵（Graphic）」で「リアルタイムに記録する（Recording）」ことです。

グラレコの魅力は、話を聞いて、言葉や文字では見えづらいものを、グラフィックで可視化・整理することによって、物事の本質への理解が深まり、対話できることにあります。

グラレコは記録の技術であるだけでなく、対話の技術でもあるのです。しかも、絵を描くこと自体は楽しいものなので、その場の空気も明るいものになり、建設的に対話できます。

さまざまなコミュニケーションの場でグラレコが活用されています。

セミナーや講演、勉強会などのイベントで話の内容をグラレコすれば、参加者が深く理解できるようにサポートできます。そのイベントや主催する団体の集客の手段としてPRすることもできます。本書を手にとっていただいた人のなかにも、イベントやSNSでグラレコを知ったという人も少なくないでしょう。

会議やミーティングでグラレコを使えば、参加者同士の意見の違いや論点が明確になり、議論の流れを可視化し、建設的な議論を進められます。「お客様に喜んでもらうサービス」についての企画を議論・検討するときに、お客様を中心に議論を進行することもできます。あるいは、口数の少ない人に発言を促し意見を引き出すこともできます。

1on1などの面談でグラレコを使えば、大切にしている価値観や目指すべき方向性が明確になることもあります。

このようにグラレコの力を使えば、理解が深まり、場が盛り上がるのです。

このグラレコの魅力が、企業や官公庁、学校、NPO、地域コミュニティなどさまざまな組織の人たちから注目されています。

その背景には、これまでのアプローチでは解決できない課題があるのでしょう。私自身もさまざまなお声がけをいただくなかで、論理中心の左脳的なアプローチだけではなく、感覚も重視した右脳的なアプローチを模索する人も増えていることを実感しています。

こう説明すると、「グラレコの魅力はわかったけど、絵心がなくて、絵は苦手なんだよな」と思う人もいるかもしれません。でも、安心してください。本書を読めば、誰でもグラレコができるようになります。

むしろ、「絵が苦手」という方にこそ読んでいただきたいのが本書です。

## 「絵の上手下手」よりも「わかりやすく描く」

私は、会社員として働くかたわら、グラフィックコミュニケータとして活動しています。これまでイベントや勉強会でグラレコを担当した件数は500件以上、グラレコを教えた人数は10,000人以上になりました。

こう書くと、「絵が得意な人」「コミュニケーションをとるのが得意な人」に思う人もいるかもしれませんが、まったくそんなことはありません。

私は子どものころから、コミュニケーションが苦手だったのです。自分の考えや意見を人に伝えるのが苦手で、伝えられないことにもどかしさを感じながら、ずっと過ごしてきました。

家と会社を行き来するだけの人生に訪れた転機は、40歳のときに転職先での社員登用試験の失敗でした。そこで、ひとつの会社に依存して生きていくことに危機感を覚え、さまざまな勉強会に顔を出しました。

勉強会で落書き混じりにノートをとっていると楽しく、自分でも驚くぐらいに理解が深まります。そして、勉強会で学んだことを発信しようと思いつき、ノートを清書してSNSに投稿するようになりました。

当時はまだそれが「グラレコ」であることを認識してなかったのですが、このノートが私にとっての「グラレコらしきもの」のはじまりでした。

あるとき、セミナーや講演で登壇者の人が話した内容を大きな模造紙に絵で描く手法があると聞きました。「やってみたい！」と思った私は、当時よく参加していた勉強会の主催者にお願いして、大きな模造紙に描かせてもらったのです。それが、2015年41歳になった私の「はじめてのグラレコ」でした。

「グラレコをはじめた」といっても、どこにでもいるような会社員であり、プロのイラストレーターではありません。私より絵がうまい人なんて、世界中にはたくさんいます。

そんな私がグラレコでずっと大事にしていることがあります。

それは、「その場で楽しく描くか？　どうやってグラレコを見た人にワクワクしてもらえるか？　そうするためにはどのように話を聞いて、まとめて、描けばいいか？」を考えて描くことです。
「絵の上手下手」よりも「わかりやすく描くこと」を強く意識しながらさまざまな場所で描いているうちに、私のグラレコを見た方から、「私が主催するイベントでも描いてほしい」と声をかけてもらえるようになったのです。
　ありがたいことにこうした機会が増え、一時期は、ほぼ毎日どこかで描いていました。気づけば、イベントでグラレコを担当した件数は500件以上になっています。

　そして、描き続けているうちに「グラレコを教えてほしい」というオファーまでもらえたのです。グラレコの講師としての活動を2017年からスタートし、2018年末から現在まで、オンラインの授業サービスを展開しているSchooにてグラレコの講座を担当しています。
　オンラインとオフラインを併せて教えた人数は10,000人以上になり、多くの受講生の方に喜んでいただいています。

## 必要なのはペンと紙、そして「描く」を楽しむ気持ちだけ

　本書では、そんな私が、試行錯誤しながら体得してきたグラレコの基本と奥義を紹介します。
　グラレコをはじめるのに絵心は必要ありません。必要なのは、ペンと紙、そして「描く」を楽しむ気持ちだけです。

　この本を通じて、「わかりやすく描くコツ」を紹介し、絵がそれほど得意でない人でも、グラレコが描けるようになります。

　グラレコに興味を持った人が、実際にグラレコを楽しみながら描き、その場が盛り上がり、みなさんが参加したイベントや所属するコミュニティが盛り上がり、組織や社会がいまよりもさらによくなる——。
　本書がそのきっかけになればうれしいです。

## グラレコの世界へようこそ！

## 目次をグラレコしてみると……

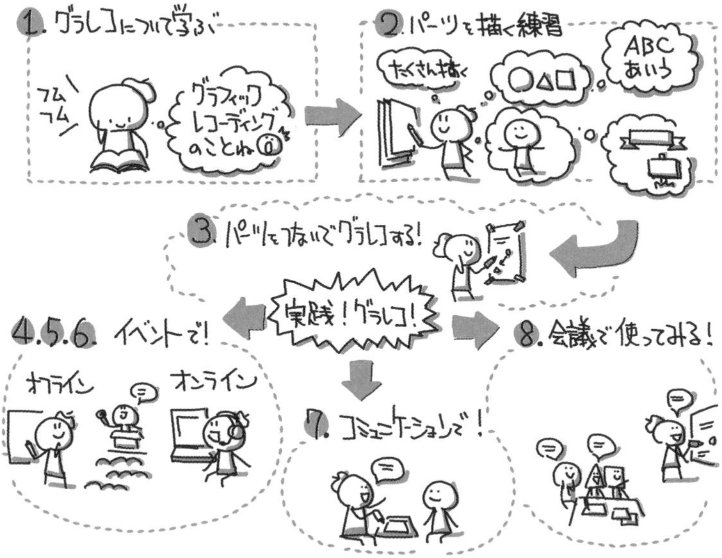

## Chapter 1 グラフィックレコーディングってなに?

### Lesson 1 グラレコをはじめよう

Tips 1 話を絵にまとめる「グラフィックレコーディング」 18
Tips 2 絵が苦手でもOK! 19
Tips 3 道具は紙とペンだけでOK! 21
Tips 4 ペンで描いてみよう 22
Tips 5 おすすめの「ペンの持ち方」 23
Tips 6 グラレコを実践することで得られるもの 24

### Lesson 2 グラレコの活用はいろいろ

Tips 1 グラフィック活用法は4タイプに分けられる 28
Tips 2 セミナーや講義をメモする「スケッチノート」 29
Tips 3 1対1で理解を深める「グラフィックコミュニケーション」 30
Tips 4 会議を進行する「グラフィックファシリテーション」 31
Tips 5 4つのタイプをN型モデルで学ぼう 32

## Chapter 2 「パーツ」を描く練習をしよう

### Lesson 1 「モノ」を描こう

Tips 1 「○・△・□」を描いてみよう 38
Tips 2 基本図形をたくさん練習してみよう 39
Tips 3 図形の基本はアイコンから 40
Tips 4 「最も単純な形」を捉えて描く 41
Tips 5 本質を捉えるには観察力が大事 42

Tips 6 建物を描いてみよう 43

Tips 7 「なんの建物か？」を描く 44

Tips 8 デスク周りのモノを描いてみよう 45

Tips 9 ビジネスアイコンを考える 46

Tips 10 スケジュールを楽しくしよう！ 47

Tips 11 スケジュールで使えるアイコン 48

Tips 12 ビジネスで使えるアイコン 49

Tips 13 家のカレンダーも楽しくしよう！ 50

Tips 14 家のカレンダーで使えるアイコン 51

## Lesson 2 「人」を描こう

Tips 1 人は「○」と「線」だけで描ける 54

Tips 2 「顔」だと認識できればまずはOK 55

Tips 3 「◎」をベースに顔を描く 56

Tips 4 「眉・目・口」で表情と感情を表現する 58

Tips 5 「眉」で感情の強さを表現する 60

Tips 6 「目の描き方」でさまざまな感情を表現できる 61

Tips 7 「口」の形が感情のベースになる 62

Tips 8 「喜怒哀驚」を描いてみよう 63

Tips 9 「眉・目・口」を組み合わせてみよう 64

Tips 10 「アイコン」で感情をより適切に描く 65

Tips 11 「フキダシ」で人物に語らせよう 66

Tips 12 モノを「擬人化」してみよう 68

Tips 13 体の描き方は大きく3パターン 69

Tips 14 体に動きをつけるには「軸」を傾ける 74

Tips 15 顔の向きを変えるには「目・口」をずらす 75

## Lesson 3 「似顔絵」を描こう

Tips 1 似顔絵を描いてみよう 78

Tips 2 似顔絵の奥義 79

Tips 3 似顔絵キャラクターを描き分ける方法 80
Tips 4 似顔絵の4つのレベル 81
Tips 5 まずは型から覚えようレベル1編 82
Tips 6 まずは型から覚えようレベル2編 83
Tips 7 まずは型から覚えようレベル3編 84
Tips 8 まずは型から覚えようレベル4編 85
Tips 9 似顔絵のポイントは口元 86
Tips 10 鼻は2パターン 87
Tips 11 眉は印象を描く 88
Tips 12 目元は似顔絵の大事な要素 89
Tips 13 ワンポイントでかわいく描く奥義 90
Tips 14 ワンポイントでイケメンに描く奥義 91
Tips 15 メガネやアクセサリーはわかれば十分 92
Tips 16 似顔絵無理!となったときの緊急回避法 93

Lesson 4 「文字」を描こう

Tips 1 「文字」を描いてみよう 96
Tips 2 カラフルな文字はかえって読みにくい 97
Tips 3 文字を囲んで目立たせよう 98
Tips 4 「フクロ文字」を描いてみよう 100
Tips 5 「アルファベット」を描いてみよう 101
Tips 6 「数字」を描いてみよう 102

Lesson 5 「飾り」をつけてみよう

Tips 1 影をつけて立体的に表現しよう 104
Tips 2 凝った影を描いてみよう 105
Tips 3 文字に影をつけてみよう 106
Tips 4 「ポイント」を強調してみよう 107
Tips 5 いろいろな「矢印」を描いてみよう 108
Tips 6 感情を表す矢印 109

Tips 7 全体のメインカラーを決めよう 110

Tips 8 色のバランスを工夫しよう 111

## Chapter 3 話をリアルタイムで描く「グラレコ」の基本

### Lesson 1 基本①「聞く・まとめる・描く」

Tips 1 グラレコは「聞く・まとめる・描く」の繰り返し 116

Tips 2 「聞く」ときに大切にしたいこと 117

Tips 3 聞くときにはメモをとろう 119

Tips 4 聞いたことをまとめる 120

Tips 5 注意深く聞きたいキーワード 122

Tips 6 相手に「伝えたい」ときのキーワード 123

Tips 7 話題を「変えたい」ときのキーワード 124

Tips 8 「まとめ」を表すキーワード 125

Tips 9 資料ばかりを見ずに登壇者の話も聞こう 126

Tips 10 イメージに合うイラストを描く 127

Tips 11 描くときはブロックを意識する 128

Tips 12 自分の描くペースを把握しよう 129

### Lesson 2 基本②「囲む・つなぐ」

Tips 1 描いた要素を「囲む」「つなぐ」 132

Tips 2 内容・要素を囲む 133

Tips 3 グループをつなぐ 134

### Lesson 3 レイアウトの基本

Tips 1 グラレコのレイアウト 136

Tips 2 タイトルを描こう 137

Tips 3 似顔絵を描こう 138

Tips 4 文字と絵のバランスはどうしたらいい？ 139

Tips 5 最初に結論を描くコツ 141
Tips 6 レイアウトをイメージしよう 142
Tips 7 トピックを描こう 143
Tips 8 トピックの追加方法 144
Tips 9 オーソドックスな「Z型」で描いてみよう 145
Tips 10 話題の数が決まっていれば「ツリー型」 146
Tips 11 話題の中身がわからないときは「放射型」 147
Tips 12 パネルディスカッションは似顔絵を並べて描く 148
Tips 13 発言者を中心に描く 149
Tips 14 質疑応答を描くコツ 151

Lesson 4 仕上げる

Tips 1 仕上げには「内容の仕上げ」と「見た目の仕上げ」がある 154
Tips 2 「あけすぎた余白」を調整する 156
Tips 3 余白に「会場の様子」を描く 157
Tips 4 余白に関連する絵を描くには 159
Tips 5 余白を枠で囲んでみよう 160

Chapter 4 イベント前に確認しておきたいこと

Lesson 1 イベント前に打ち合わせしておくこと

Tips 1 イベントでのグラレコの流れを押さえる 164
Tips 2 「なんのためにグラレコを入れるのか」を確認しよう 165
Tips 3 「誰のために描くのか」を確認しよう 166
Tips 4 「NGポイント」を確認しよう 169
Tips 5 「事前に資料をもらえるか」を確認しよう 170
Tips 6 「いつまで描けるのか」を確認しよう 171

Lesson 2 イベント終了後のことも確認しておく

Tips 1 どのようにグラレコが使われるか確認しておこう 174
Tips 2 自身のSNSでシェアしていいか確認をしよう 175

Chapter 5 「オンライングラレコ」してみよう

Lesson 1 打ち合わせ準備編@オンライン

Tips 1 オンライングラレコってなに？ 180
Tips 2 事前打ち合わせで確認するべきこと 181
Tips 3 シェアやコメントが求められるかも確認する 182
Tips 4 「なにに描くか？」を確認する 183
Tips 5 本番で使う会議システムと「形式」を確認する 184
Tips 6 イベント中・終了後にグラレコをシェアする 185
Tips 7 ネットワーク環境を確認する 187

Lesson 2 現場編@オンライン

Tips 1 機材を準備する 190
Tips 2 データの受け渡し方法を確認する 191
Tips 3 デジタルで似顔絵を描くときのテクニック 192
Tips 4 メモをとりつつレイアウトを考えよう 193
Tips 5 シェアのタイミングを見すえて描こう 194
Tips 6 主線のみを描いていく 195
Tips 7 着色は余裕ができたときに 196

Lesson 3 イベント後編@オンライン

Tips 1 データ修正に備えよう 198
Tips 2 SNSに投稿してシェアしよう 199
Tips 3 動画を「グラレコ起こし」する 200

## Chapter 6 イベント会場でグラレコしてみよう

### Lesson 1 事前準備編@アナログ


Tips 1 レコーダーのイベントへの関わり方を確認しよう 204
Tips 2 描く場所を考えよう 205
Tips 3 描く媒体を決めよう 207
Tips 4 複数人で描く場合には役割を確認しよう 209


### Lesson 2 現場編@アナログ


Tips 1 模造紙を貼る向きを考えよう 212
Tips 2 壁に模造紙を貼るコツ 213
Tips 3 ペンの裏写りに気をつけよう 214
Tips 4 ホワイトボードに模造紙を貼る 215
Tips 5 たくさん描くときには模造紙を重ねて貼ろう 216
Tips 6 ペンの「グラレコ持ち」をマスターしよう 217
Tips 7 ふせんを活用しよう 218
Tips 8 レコーダー同士で協力して描こう 219
Tips 9 スライドが遠くて見えない 220
Tips 10 登壇者が遠すぎて似顔絵が描けないときの描き方 221
Tips 11 暗い場所で描くには? 222
Tips 12 声が聞こえにくいとき 224
Tips 13 聞き逃してしまったらどうする? 225
Tips 14 描き間違えてもあわてない 226
Tips 15 ミスをしたら古典的修正法で直そう 227
Tips 16 「魔法のシール」で修正する 228
Tips 17 ミスをミスにしない方法 229
Tips 18 意外と汚れるので気をつけよう 230
Tips 19 ペンは太字と細字の色が違ってくる 231

Tips 20 インクが乾くまでじっくり待とう 232
Tips 21 模造紙のレイアウトを工夫してみよう 233

Lesson 3 イベント後編@アナログ

Tips 1 模造紙の片づけ方 236
Tips 2 「作品」をきれいにデジタル化しよう 237
Tips 3 イベント終了後は参加者とコミュニケーションをとろう 238
Tips 4 描くだけで終わらないようにしよう 239
Tips 5 グラレコの「その後」を意識しよう 240
Tips 6 「ちょっとだけアピール」しよう 241
Tips 7 レコーダーとして人前で話してみよう 242
Tips 8 参加者を巻き込んだイベントにしていこう 243

Chapter 7 1on1で「グラフィックコミュニケーション」してみよう

Lesson 1 1on1グラレコの基本

Tips 1 グラフィックコミュニケーションの効果 248
Tips 2 「座る位置」を意識しよう 250
Tips 3 対面でのグラフィックコミュニケーション 251
Tips 4 横並びでのグラフィックコミュニケーション 253

Lesson 2 1on1シーン別のおすすめの使い方

Tips 1 「わくわくシート」の描き方 256
Tips 2 「グラレコマップ」の描き方 258
Tips 3 「夢の宝地図」の描き方 260

# Chapter 8 会議を「グラフィックファシリテーション」してみよう


## Lesson 1 グラフィックファシリテーションの基本

Tips 1 絵で会議を進行するグラフィックファシリテーション 266
Tips 2 グラフィックファシリテーションにチャレンジしよう 267

## Lesson 2 ファシリテーションで活用したい「図」

Tips 1 「構造化」にチャレンジしてみよう 270
Tips 2 物事が順番に流れていく「プロセス」 271
Tips 3 2つに分けて比べる「比較」 272
Tips 4 3つ以上を分類する「集合」 273
Tips 5 「2軸」を描いてみよう 274
Tips 6 自由なアイデアを出し合う「発散」 275
Tips 7 テーマがあらかじめわかっている場合には「ツリー（型）」 276

## Lesson 3 シーン別の使い方

Tips 1 会議で均等に意見を出す 278
Tips 2 目標とする感情を共有しよう 281
Tips 3 共感する会議をしてみよう 283
Tips 4 目標に至る道筋を可視化してみよう 284



カバーデザイン　西垂水敦・市川さつき（krran）
DTP　一企画

# Chapter 1

# グラフィックレコーディング
# ってなに？

# Lesson 1
# グラレコをはじめよう

Tips 1

# 話を絵にまとめる「グラフィックレコーディング」

グラフィックレコーディング（グラレコ）は英語で書くと「Graphic Recording」となり、分解すると「Graphic」「Record」「ing」となります。日本語に訳すと「絵で」「記録する」「リアルタイムに（その場で）」となります。つまり、「話を絵でリアルタイムに記録すること」です。

講師や登壇者の話を聞きながら描き、グラレコをする人のことを「(グラフィック）レコーダー」と呼びます。レコーダーが、登壇者として話に参加したりすることはないのが基本です。情報は、登壇者からレコーダーへの一方通行で流れます。

## グラフィックレコーディング（グラレコ）とは

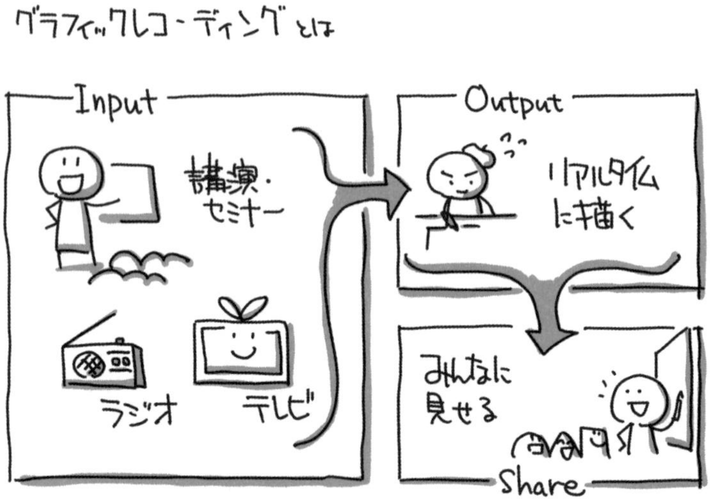

# Tips 2 絵が苦手でもOK！

まずお伝えしたいのは、「はじめはグラレコでは絵を無理に上手に描こうとしなくてもいい」ということです。大事なのは「誰になにを伝えるか」です。

絵を描き慣れていない人が、いざ絵を描こうとすると、ペンを動かすのをためらうことがよくあります。「上手に描かなくてはならない」と思い込んでいるからです。

なにを隠そう私自身がそうでした。「うまく描きたい」「上手だねとほめられたい」などと思ってしまい、描きはじめられませんでした。

あるセミナーに参加したときに、ノートに描いたグラレコを人に見せてみました。そのときの周りの反応はとてもいいものでした。自分としては絵も上手ではなかったですし、自信も持てず、恥ずかしいと思いながら見せたので、この意外な反応がとてもうれしかったことをいまでもよく覚えています。そのとき、自分自身はそれほど上手でもないと思う絵も、ほかの人には上手に見えるのではないかと気づきました。

そしてまた別のセミナーでご縁があって壁に貼った模造紙にグラレコを描きました。いま思えばひどい出来でしたが、周りの反応は「わかりやすい！」と非常に好意的なものでした。

そのときに、「上手に描くこと」よりも「わかりやすく描くこと」が大事だと学びました。

もちろん、雑でいいというわけではありませんが、グラレコはあくまでコミュニケーション手法の１つです。たとえ上手に描けなかったとしても、話を聞いて、誰になにを伝えたくて描いたのかを言葉で話して、コミュニケーションのきっかけにすればいいのです。なにも絵だけで表現する必要はなく、文字で補足するのもいいでしょう。文字もグラフィックの１つだといえます。

グラレコに慣れないうちは、うまく描こうと考えずに「まずは自分が受けとめたもの」を描いてみましょう。言葉のキャッチボールとよくいいますが、グラレコでもまずは言葉をキャッチする（受けとめる）ことが大事です。伝える前にまずは話をよく聞いて受けとめたものを自分なりに描いてみましょう。そして、自分なりの受けとめたままに描くことに慣れてきたら、相手の立場になってわかりやすく描くにはどのように描けばいいのかを考えながら描いてみましょう。

グラレコを描くときに大切なのは、誰のためになにを描こうとしているのか、目的を考えながら描くことです。グラレコをするときには描く理由や目的を、いま一度じっくり考えてみましょう。

## Tips 3 道具は紙とペンだけでOK！

グラレコをはじめるのに必要な道具は、紙とペンだけです。

私の場合は、グラレコをはじめた当初は「サラサクリップ0.5」（ゼブラ）という芯の太さが0.5mmのボールペンで描いていました。このペンで、ノートに絵を描く練習をしていました。

その後、イベントなどで模造紙に描くようになってからは、「プロッキー」（三菱鉛筆）の平芯マーカーを愛用するようになりました。

本書では、アナログのグラレコでは「プロッキー」を使うことを、デジタルグラレコではiPadを使うことを想定して書き進めます。

みなさんが描くときには、サインペンやボールペンなど好きな道具を使ってください。描いていて楽しいペンを使うのがいちばんです。

練習に使う紙は、どんどん練習できるものがいいでしょう。コピー用紙、100均で売っているようなメモ用紙などがおすすめです。紙の大きさについては、あまり小さい紙だと練習しづらいですし、逆に大きすぎても場所をとってしまうので、A4サイズぐらいがいいでしょう。

iPadなどのデジタル端末でグラレコするときには、端末とApple Pencilなどのスタイラスペン、描画アプリ（「Procreate」がおすすめ）を用意しましょう。

### グラレコで使う道具

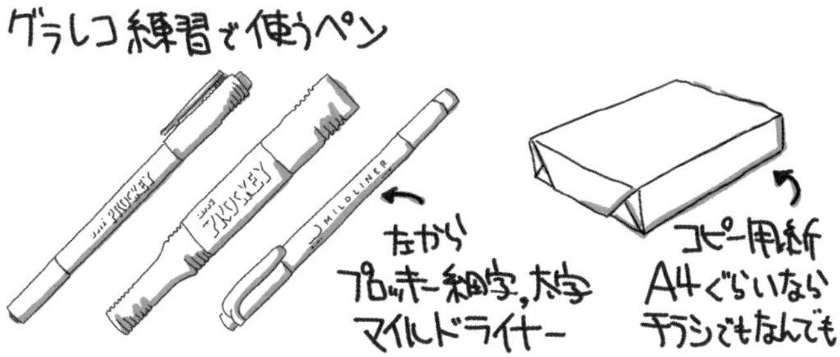

Tips 4

# ペンで描いてみよう

オフラインのイベントで紙に描くグラレコは、大きな模造紙に描くことが多いので、なるべく太いペンで練習しましょう。

太いペンを使って描くと、遠くからでも見やすいグラレコになります。おすすめの道具は、先ほど紹介した「プロッキー」などペン先が長方形になっている平芯マーカーです。平芯を使って文字を描くと特徴のある文字が描けます。ペン先が丸くなっている丸芯は安定した線が描けますので、好みに応じて使い分けましょう。

平芯マーカーを使えば、ペン先の角度によって、太い線と細い線を引けます。そこで、グラレコでは「横は細い線、縦は太い線の『横細縦太』で描く」ことを基本のルールにしましょう。

このルールでグラレコすると、文字が明朝体に見え、きれいな文字に見えます。

**平芯のペン先を使い分けよう**

# Tips 5 おすすめの「ペンの持ち方」

ペンの持ち方は持ちやすい方法でいいのですが、親指を左側、ペンがとがっているほうに添えて、つねに親指が左にあるようにキープする持ち方がおすすめです。こうして持てば、安定した横細縦太の線が描きやすくなります。左利きの方も左右逆になるだけで、持ち方は同じです。

## ペンの持ち方

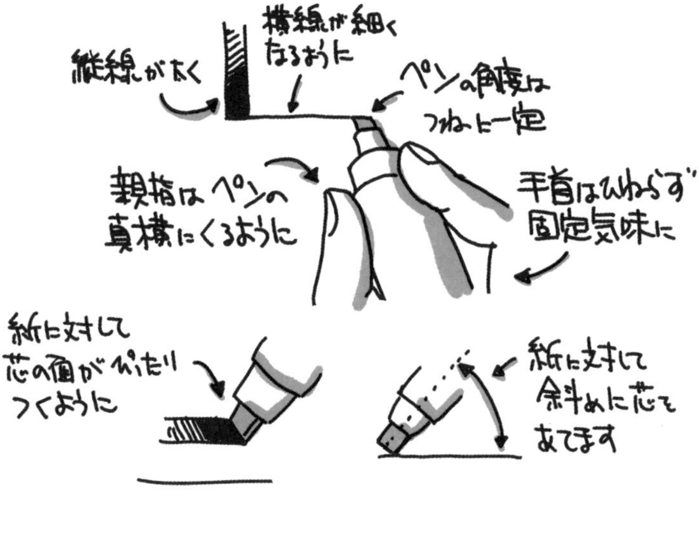

## Tips 6 グラレコを実践することで得られるもの

グラレコを続けていると、いろいろな能力が身につきます。私自身がグラレコしているなかで、いつのまにか身についており、驚いたことを記憶しています。

これらの能力はビジネスシーンでもおおいに活用できます。グラレコしているうちに身についた能力のうち、代表的なものを３つ紹介します。それは、絵を描く力、話をまとめる力、最後にプレゼンの力です。

### ①絵を描く力

これはいわずもがなではありますが、絵は描けば描くほど表現力が上がっていきます。たとえば、線や円がきれいに描けずに悩む人は多いのですが、これは文字と同じで描けば描くほど上達します。大事なことは、ていねいに描くように心がけること。そしてとにかく楽しく描くことが大事です。そうして描いているうちに、手が勝手に動くようになりますので、たくさん描いてみましょう。

**絵を描く力**

## ②話をまとめる力

グラレコでは、リアルタイムにすべてを描ききることができません。そうなってくると必然的に要約することになります。その際、「これはつまりどういうことだろう」という思考をつねに回すことになります。そうすることによって、ふだんの生活や仕事の中でも「つまり、これはどういうことなのか、本質的にはどういうことをいっているのか」を考えられるようになります。

**話をまとめる力**

## ③プレゼンの力

これは意外に感じる方も多いかもしれません。グラレコは、人のプレゼンを聞きながら、内容を描くことが多いです。そうして描いているうちに、描きやすい話と描きにくい話がわかってきます。つまり、描きやすい話は、論理的にまとめられてあり、描きにくい話は思いつきで話しているのです。それがわかってくると、自分が話す機会があったときに、「話そうとしている内容は描けるか？」という視点が生まれます。もし描けない（描きづらい）と思ったら、そのプレゼンに改善の余地があることがわかります。

## プレゼンする力

# Lesson 2
# グラレコの活用はいろいろ

# Tips 1 グラフィック活用法は4タイプに分けられる

グラフィックを活用した表現方法やコミュニケーション方法はさまざまありますので、ここでは大きく分類して説明していきます。

人数の軸と情報の方向の軸とで、４つの象限に分けることができます。それぞれの象限には１人で黙々と描く「手帳・メモ・ノート（スケッチノート）」、リアルタイムに多人数向けに描く「グラレコ」、１対１（１on１）でのコミュニケーションである「グラフィックコミュニケーション」、そして会議などを進行する「グラフィックファシリテーション」があります。

## グラフィック活用の４タイプ

# Tips 2 セミナーや講義をメモする「スケッチノート」

手帳やノートに絵を使って描くことを「スケッチノート」といいます。セミナーや講義、動画などの内容をノートに絵で描きます。

絵を使うことで、文字だけで書くノートよりも彩りがあり楽しく、ワクワクするノートになります。このノートは自分だけのものなので、あまり気負わずに落書きするつもりで、楽しみながら描いていきます。

大事なことはまず描くことです。練習すればするほど上達していきますので、とにかく最初は数を描くことを意識していきましょう。時間をかけてもいいので、数を描き、納得がいくまでじっくり描くように心がけましょう。

描いたノートを１人で眺めるのもいいですし、思いきってほかの人に見せてみるとグラレコの楽しさに目覚めるかもしれません。

## 「スケッチノート」とは？

## Tips 3 1対1で理解を深める「グラフィックコミュニケーション」

絵を使って対話することを「グラフィックコミュニケーション」といいます。人が話した内容を描くグラレコでは、情報の流れはレコーダーへの一方通行になりますが、グラフィックコミュニケーションは双方向になります。

私たちはコミュニケーションをする際に言葉でやりとりをしますが、言葉から想像するイメージがずれていることが多くあります。そこで描きながら対話することによって、描いた内容を確認しながら描くことができます。そうすると、言葉から連想するイメージのずれを最小限に抑えられます。

グラフィックコミュニケーションは、上司部下の面談や、カウンセリングやコーチング、インタビューなど、対面で行なうあらゆるシーンで活用できます。私自身もこれらのシーンで日常的に活用しています。

### 「グラフィックコミュニケーション」とは？

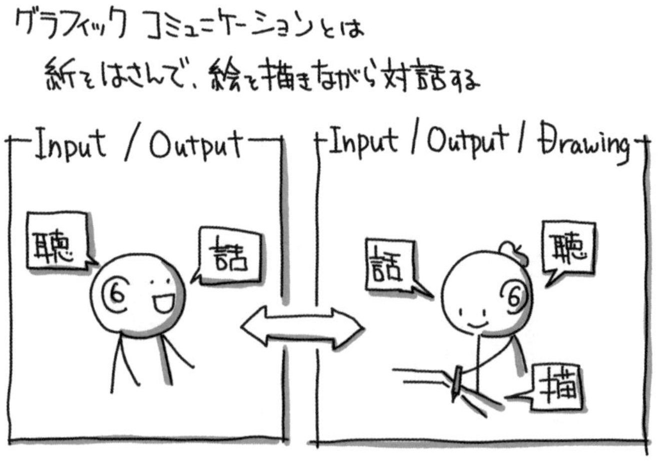

# Tips 4 会議を進行する「グラフィックファシリテーション」

本書を手に取った人のなかには、会議で使いたいと考えている人もいるでしょう。絵を使って会議を進行する手法を「グラフィックファシリテーション（ファシリテーショングラフィック）」といいます。

ここで求められるのは、「話を聞く」「話をまとめる」「絵で描く」「会議を進行する」を同時に行なうスキルです。

グラフィックファシリテーションは、ファシリテーションスキルがあってのものなので、難易度は非常に高くなります。

グラフィックファシリテーションの練習法は２つあります。１つはまずファシリテーションスキルを学ぶ方法、もう１つはグラフィックコミュニケーションからはじめて対話する人数を少しずつ増やし実践していく方法です。

## 「グラフィックファシリテーション」とは？

Tips 5

## ４つのタイプをＮ型モデルで学ぼう

グラレコを学ぶ方法はたくさんあります。初心者の方には、これから説明する方法がおすすめです。ポイントは「描く」ことからはじめて、「聞く」「話す」「進行する」を１つずつくわえていくことにあります。

グラレコを学びはじめたときは、まずは基本的な絵が描けるように、自由に楽しく練習します。このとき落書きレベルでいいので、まずは１人で「スケッチノート（メモ帳・ノート）」に描くところからはじめます。

絵を描くことに慣れてきたら、つぎは聞いたままを描く「グラレコ」に挑戦してみましょう。できれば、みんなの前で描くアウトプットを意識してみてください。

グラレコに慣れてきたら、つぎは「グラフィックコミュニケーション」に挑戦しましょう。友達や職場の仲間などをつかまえて１対１で対話しながら、その内容を絵で表現していきます。ここで、「相手の話を聞く」「自分が話す」「それを描く」を同時にこなすことはファシリテーションの練習にもなります。

１対１でのやりとりから人数を増やしていくと、打ち合わせやミーティング、会議の形にだんたん近づいてきます。そうして最終的には、ミーティングの進行などをする「グラフィックファシリテーション」を目指していきます。

28ページの図でグラレコの活用法を２軸で表現しましたが、縦軸に人数の多少、横軸に双方性をとると、左下がノート、左上がグラレコ、右下がコミュニケーション、右上がファシリテーションになります。学びの順に象限をつなげていくと、Ｎ字の軌跡を描きます。そこから「Ｎ型学習モデル」と呼んでいます（次ページ図）。

## 「N型学習モデル」で練習しよう

# Chapter 2

## 「パーツ」を描く練習をしよう

# Lesson 1
# 「モノ」を描こう

Tips
1

# 「○・△・□」を描いてみよう

グラレコでは、さまざまな「モノ」を描きます。たとえば、メールやPCなどのアイコン、会社のビルや学校などの建物などです。

モノを描くコツは、複雑に考えすぎにシンプルに考えることです。

あらゆるモノは、3つの要素「○（まる）・△（さんかく）・□（しかく）」に分解できます。この「○・△・□」を組み合わせて描けば、ほぼどんな絵も描けるのです。

たとえば、メールは「□＋▽」で描けますし、ビルは大きさの違う「□」で描けます。

あまり複雑に描こうとせずに、シンプルに描くことを目指しましょう。

## 基本は「○・△・□」

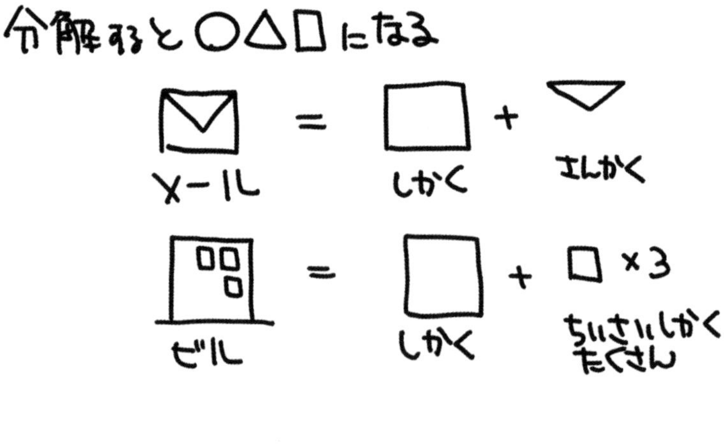

# Tips 2 基本図形をたくさん練習してみよう

基本図形「○・△・□」を練習しましょう。どんな紙でもいいので、とにかくどんどん描いてみてください。

練習するときには、同じ図形をたくさん描き、さまざまな大きさの図形を描きましょう。小さな図形をたくさん描くばかりではなく、大きな図形もたくさん描いてください。実際に模造紙に描くときには、相当大きな図形を描くことになります。とくに、大きな「○」をきちんと描くのはなかなか難しいものですから、練習しておきましょう。

絵のうまさは、線が安定しているかどうかで決まります。線を安定させるには、とにかくたくさん描いて練習することが大事です。みなさんが文字を書けるのは、子どものころにたくさん練習したからです。それと同じように、たくさん描いて練習しましょう。練習といってもむずかしく考えず、落書き感覚で楽しんで描いてみてください。

## 「○・△・□」を練習してみよう

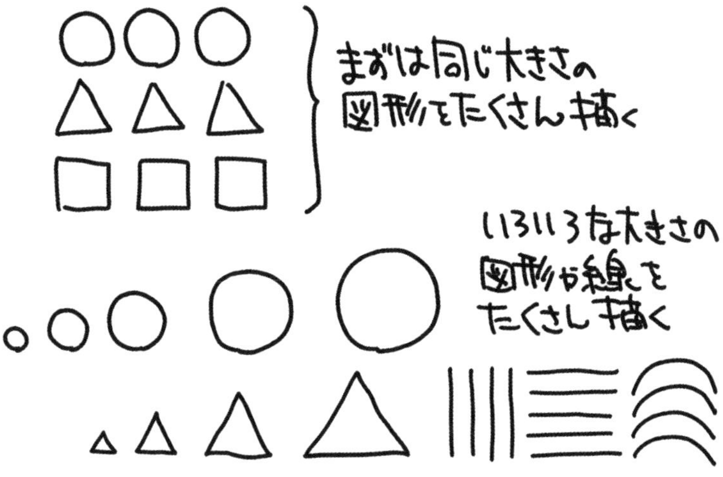

Tips 3

# 図形の基本はアイコンから

グラレコでは、なるべく速く、そしてシンプルに描く必要があります。そこで活躍するのが「アイコン」です。アイコンは、スマホやパソコンなどの画面表示でおなじみでしょう。

アイコンは、「誰でも・ひと目で・理解できる」ことを目的にデザインされ、シンプルでわかりやすい形で描かれています。

おもしろいのは電話のアイコンです。いまは使うことが減った受話器の絵をいまだに使っています。しかし、実際に使ったことがない人でも、電話だとすぐにわかります。

グラレコでも、かんたんにすばやく描け、そして誰でもすぐにわかりやすいように、アイコンのような絵を目指しましょう。

## アイコンはシンプルでわかりやすい

# Tips 4 「最も単純な形」を捉えて描く

アイコンを描くためには、物事の「本質」を捉えることが大切です。「本質」といわれても、なかなかイメージしづらいかもしれません。本質とは、あるものを理解するための最もシンプルな形のことです。

たとえば、電車を構成するパーツは、まずは車両で、横長の長方形で描きます。しかし、この長方形だけではこれがなにかよくわかりません。そこでもう１つ、長方形の上にひし形を乗せてみましょう。電車のパンタグラフです。ここまで描くとなんとなく「電車かな？」と思うかもしれません。さらに長方形の下に半円（車輪）をつけると、電車らしくなります。電車の構成要素である車両・パンタグラフ・車輪を描けば、多くの人は電車だとわかります。線路まで描けば完全に電車です。

## 本質を捉えて描く

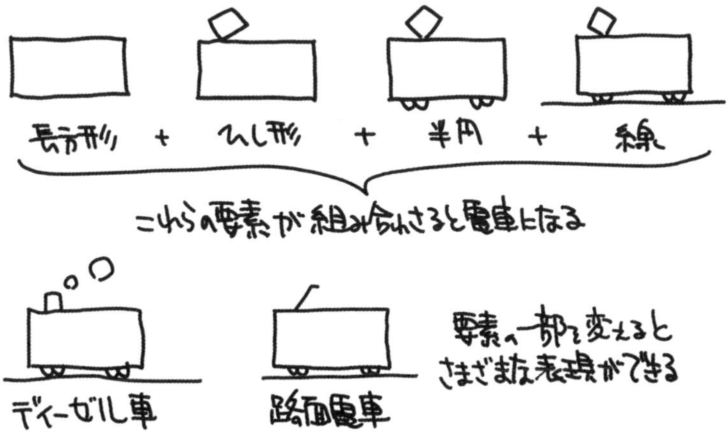

Tips 5

# 本質を捉えるには観察力が大事

本質を捉えて描くには、モノを構成する要素をよく見て、最低限どの要素を描けばいいかを考えます。モノを見るときの観察力が大切です。いままでなんとなく見ていたモノをまじまじと見ると、細かな違いに気がつきます。細かな「ほかとの違い」が、そのモノを認識するための重要なパーツであることが多いのです。

たとえば電車とバスではなにが違うでしょうか？　パンタグラフの有無はすぐに思いつくと思います。車輪はどうでしょうか。丸い車輪だと思っている人が多いのではないでしょうか。よく観察すると、電車の車輪は下半分しか見えていません。そして正面から見ると、電車の運転席は進行方向左であり、バスは右に運転席があることに気づきます。

観察力が磨かれてくると、こうした細部に気づくようになります。

## 本質を捉えるには観察眼を養う

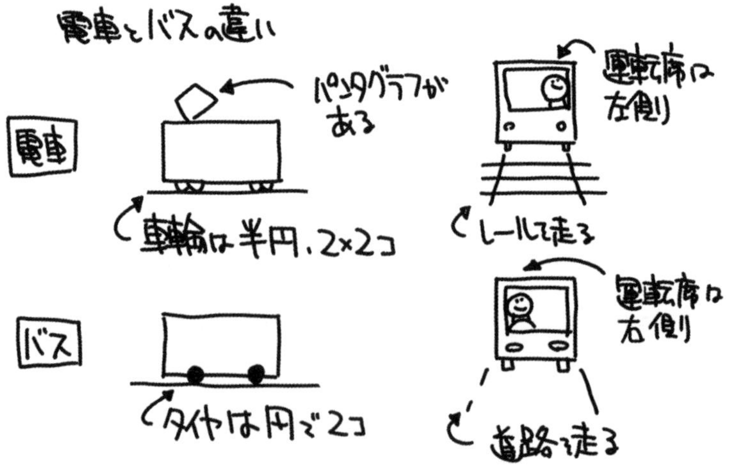

# Tips 6 建物を描いてみよう

建物（施設）も描けるようになっておくと便利です。

建物の描き方のパターンは、それほど多くありません。基本のパターンさえ身につければ、さまざまな建物に応用できます。

まずは、会社のビルや家などの基本的な形を描いてみましょう。高さを縦線で表現すれば高層ビルになります。それからコンビニやショップなどの商業施設などを描いてみましょう。

基本パターンを押さえれば、いろいろ応用できます。たとえば、学校の建物の上にある「時計」を「十字」に変更するだけで病院になります。その方法については、次ページで説明します。

## 建物を描いてみよう

Tips 7

# 「なんの建物か？」を描く

描いた建物が「なんの建物か」を示す文字を加えましょう。

看板をつければ、どんなビルかがわかります。看板を描く位置は、上でも横でもかまいませんし、立て看板でもかまいません。

「○×社」と看板に描けば、会社のビルだとわかります。

コンビニなら、店のアイコンを描くだけではどのコンビニかがわかりません。そこで、高い看板を横に置いて、「7」と描けば某コンビニですし、「m」と描けば某ファストフードチェーンです。

このように一部を工夫すると、表現の幅が広がります。

## 工夫しだいでバリエーションいろいろ

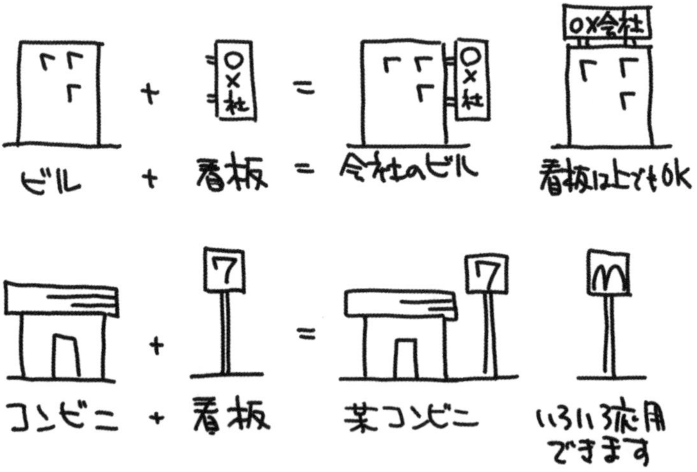

# Tips 8 デスク周りのモノを描いてみよう

ここまでは電車やバス、建物（施設）の大きなモノを描いてきましたが、身近なデスク周りにあるモノを描いてみましょう。机の周りにどんなモノがあるでしょうか。実際に目の前のモノを見ながら描くと、とても描きやすいと思います。

描くときには、見たままを模写するのではなく、「描こうとしているモノがどんな要素で構成されているのか？」「そのモノと認識できるようにするには何のパーツが必要か？」を考えながら描きましょう。そうすれば本質を捉えやすく、シンプルで伝わりやすいものを描けます。

## デスク周りのアイコン

Tips 9

# ビジネスアイコンを考える

ビジネスで使うモノも描いてみましょう。たとえば、ノートパソコンとデスクトップパソコン、どちらも描けるようになっていると、どちらのケースでも使えます。スマホも描いてみましょう。

メールも開封前と開封後があり、どちらも描けるようになっていると、使うシーンに合わせて表現できます。

実際には形のない抽象的なモノや概念も描けます。たとえば業績は、上向き、横ばい、下向きのグラフなどがあります。状況や文脈に応じて描き分けたいところです。

さまざまな業種がありますので、ここでは全部は紹介しきれませんが、自分のビジネスの商品や、もしくは学校や組織で使っている道具や概念をアイコンで描いてみましょう。

## ビジネスアイコン

# Tips 10 スケジュールを楽しくしよう！

パソコンやスマホ、タブレットなどデジタルデバイスが増えてきたとはいえ、手帳を使っている人も多いでしょう。手帳のカレンダーにイラストを添えると、ふだん無機質になりがちな仕事も予定を見るだけで楽しくなってきます。ここではスケジュールを中心に描いていきます。

スケジュールは日々使うものですので、イラストを描く習慣が身につけば、イラストのトレーニングにもなります。繰り返しになりますが、上達の早道はとにかくたくさん描くことです。描けば描くほど上達していくので、どんどん描きましょう。

イラストでは感情や気持ちを表現できます。予定とともに気持ちを描くと、ますます楽しみになるでしょう。憂鬱になりがちな会議も、その感情をコミカルに描くと前向きな気持ちにもなれるのでおすすめです。

## スケジュール帳を楽しくしよう（ビジネス）

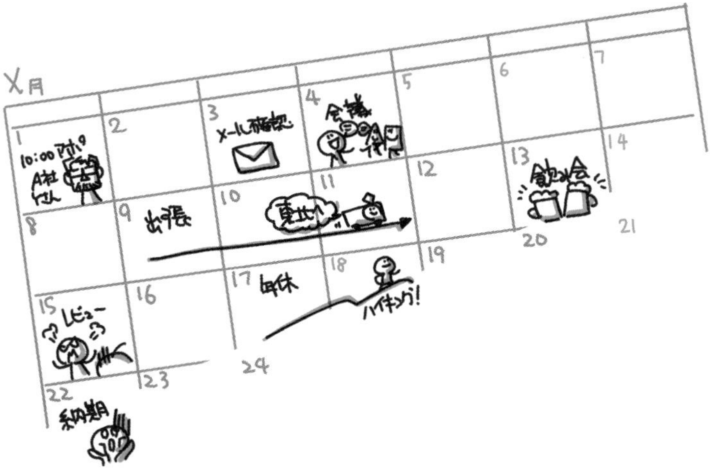

Tips 11

# スケジュールで使えるアイコン

スケジュールにイラストを描くときには、単純な形のアイコンがおすすめです。

手帳でよく使えるアイコンは、「場所」を表現するアイコンや、出張などの「イベント」を表すアイコンです。

場所を表すアイコンは、建物を表すアイコンに文字を組み合わせるだけで表現できます。建物はビルと家が描ければ、文字との組み合わせであらゆる場所を描けます。

出張などのイベントは、乗り物と場所を組み合わせると、どのような手段で出かけるのかを表現できます。電車で行くのか、飛行機で行くのか、はたまた船で行くのか、予定をわかりやすく表現できます。

日記では、天気などの表現が効果的です。

## おすすめアイコン集（手帳）

# Tips 12 ビジネスで使えるアイコン

ふだんビジネスで使うモノのアイコンはストックしておき、いつでも描けるようにしておきましょう。どのアイコンをよく使うかは、仕事内容によって変わってくると思いますので、ご自身のビジネスに合わせて描いていきましょう。

## おすすめアイコン集（ビジネス）

# Tips 13 家のカレンダーも楽しくしよう！

家のカレンダーも、イラストを入れるだけでワクワクするようなカレンダーに早変わりします。

誕生日には、家族の似顔絵を描くと、ますます楽しみになります。カレンダーに当日まで毎日×印をつけて、カウントダウンすることがありますが、かわいい数字でカウントダウンを毎日描いてもいいかもしれません。また、旅行や出張、テスト期間など、複数日にまたぐ予定は枠を越えて描きましょう。

ポイントはかわいく、コミカルに。カレンダーから家庭をにぎやかにしていきましょう。

## スケジュール帳を楽しくしよう（ファミリー）

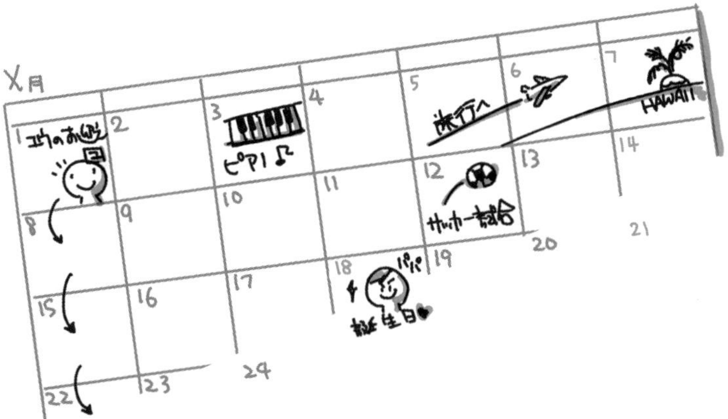

# Tips 14 家のカレンダーで使えるアイコン

ファミリーで使うアイコンは、かわいく描いていきます。かわいく描くコツは、にっこりした笑顔にすることです。口角を上げるだけでとても明るいアイコンになります。

ぜひ描けるようにしておきたいのは、家族の似顔絵です。家族の特徴を捉えつつも、なるべくシンプルな似顔絵を描いてみましょう。似顔絵を描くと楽しさ倍増です。似顔絵を描いてもらった家族は、自分の予定と印象づけられるので、忘れることも少なくなります。

学校などの施設や季節に関するアイコンも描いてみましょう。春なら桜、夏ならスイカ、秋なら紅葉、冬なら雪だるま。あなたはどのような季節のイラストを思い浮かべましたか。ぜひそれも描いてみましょう。

代表的なアイコンを載せましたので、参考にしてください。

## おすすめアイコン集（ファミリー）

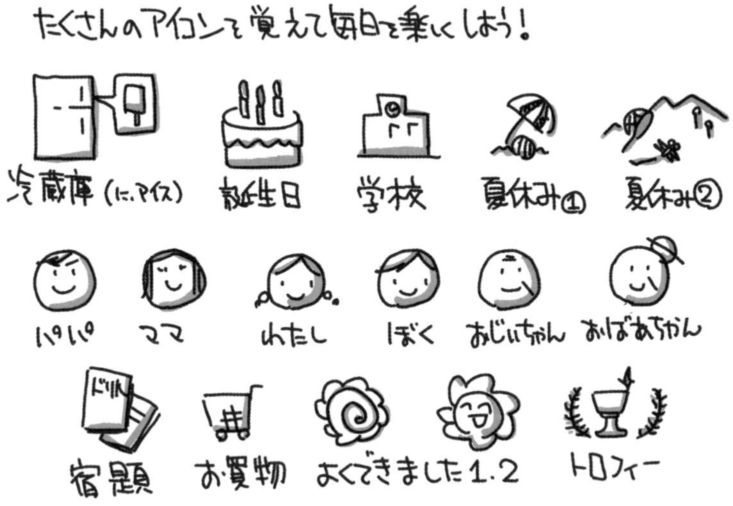

## スケジュール帳を楽しくしよう（学校）

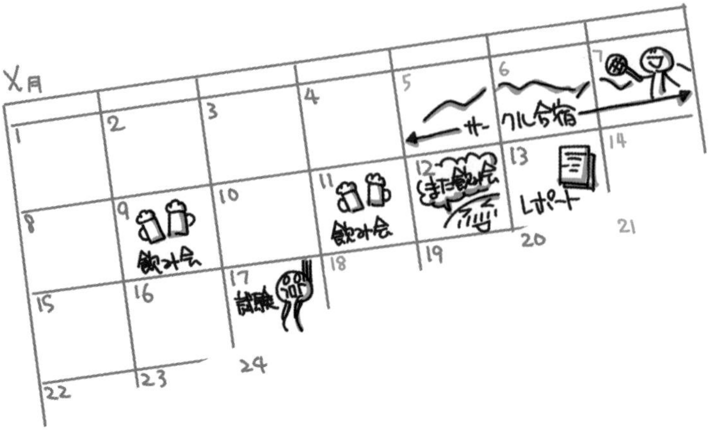

# Lesson 2
# 「人」を描こう

Tips
1

# 人は「○」と「線」だけで描ける

みなさんは人を描くことは得意ですか？　苦手？　大丈夫です！

絵（とくに「人」）を描くことが苦手な人はロジカルに物事を考えることが得意な人が多いようです。

そこでロジカルに「人」を描く方法を紹介します。

この方法を実践すれば、誰でも簡単に人を描けます。

人を描くと、グラレコの表現の幅が一気に広がります。手帳やメモに使えるなど、さまざまな形で応用できますので、ぜひ基本をマスターしましょう。

まずは一緒に読み進め、そして描いていきましょう。

人を描くうえで必要な構成要素は、「顔・体・感情」の３つです。

一見すると難しそうですが、「○（まる)」と「線」だけで十分に表現できます。人の描き方を説明していきましょう。

## 体を構成する要素

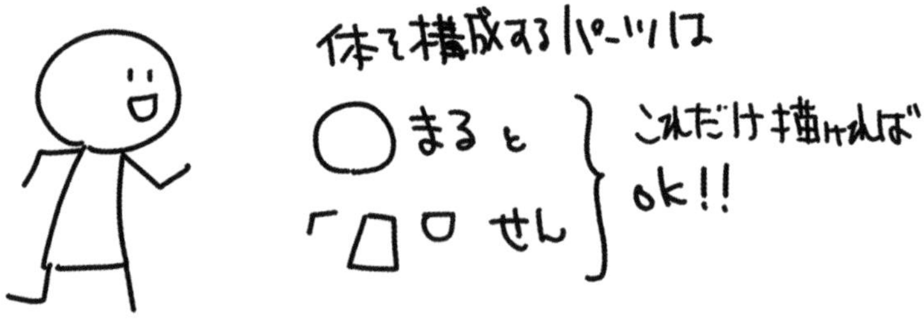

# Tips 2 「顔」だと認識できればまずはOK

人が「顔」をどのように認識するかを考えると、じつは非常に単純なことがわかります。

まずは、この絵を見てください。どの段階から顔に見えてくるでしょうか？

## どの段階から顔に見える？

だいたい②くらいから「顔」と認識できたのではないでしょうか。○と点と線の３つが描ければ顔が描けることがわかります。これならかんたんに描けそうな気がしてきませんか？

次ページからは、絵が苦手な人でもできる「顔の描き方」をよりくわしく説明していきます。

## Tips 3 「◎」をベースに顔を描く

グラレコで、簡単に顔を描く５つのステップを紹介します。薄いペン（蛍光ペン、鉛筆などでもOK）と、太めで濃いペンを用意してください。

①薄いペンで、◎を描き、円の中心を通るように横線を引きます。これが顔を描くための基本フレームです。

②太いペンで、外周の円をなぞっていきます。多少ガタガタな線になってもかまいませんので、気にせず描きましょう。これが顔の輪郭です。

③内側の円と横線が交わっているところに点を描きます。これが目です。

④内側の円の下部分をなぞって口を描きます。

⑤目の上に横線を描きます。これが眉です。

### 顔の描き方手順

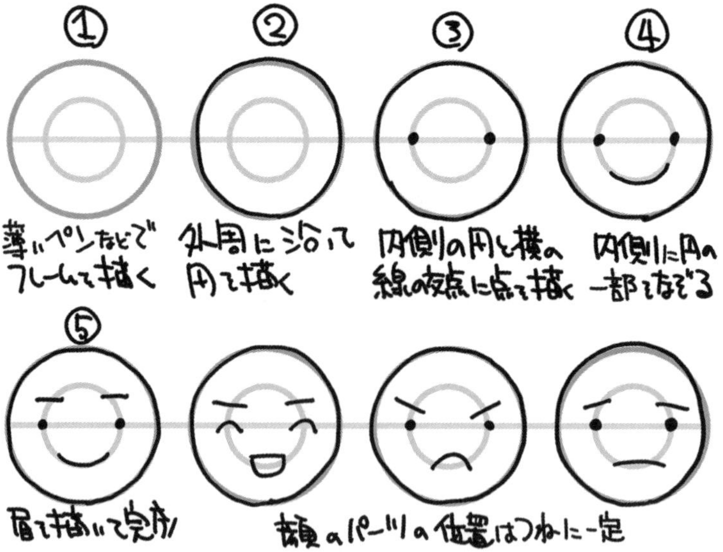

いかがでしょうか？　かんたんに描けたのではないでしょうか。このフレームは慣れないうちの補助線です。慣れてきたらフレームを描かなくても顔を描けるようになります。

ところで、この顔を見てどこかに違和感はありませんか？

現実の人間にあるはずの鼻と耳がないことです。鼻や耳を描かないのは感情に関係ないからです。「怒りの鼻」とか「悲しみの耳」などは、描こうと思ってもなかなか描けません。大事なことは、感情を表す最小限のパーツで描くことです。描くパーツが少なければ少ないほど速く描けます。さらには、そのグラレコを見る人にもわかりやすく伝わりやすくなります。

こうした理由でグラレコでは鼻や耳を描かないのが基本です。似顔絵は例外で、特徴を表現したいときには描くこともあります。

## 顔の基本は眉・目・口

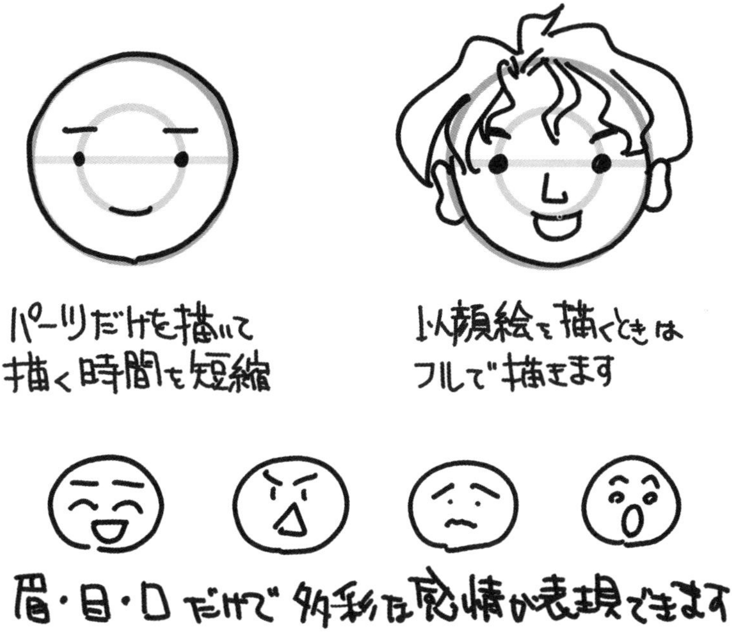

Tips 4

# 「眉・目・口」で表情と感情を表現する

人の表情は、「眉・目・口」の３つで表現できます。これらのパーツを組み合わせれば、あらゆる感情を表現できます。

たとえば、怒りの眉毛（強い意思）と笑顔（ポジティブ）の口を組み合わせてみます。わかりやすいように、まずは描いてみましょう。

どうでしょうか、「やる気」の顔になったと思います。

## 怒りプラス笑顔

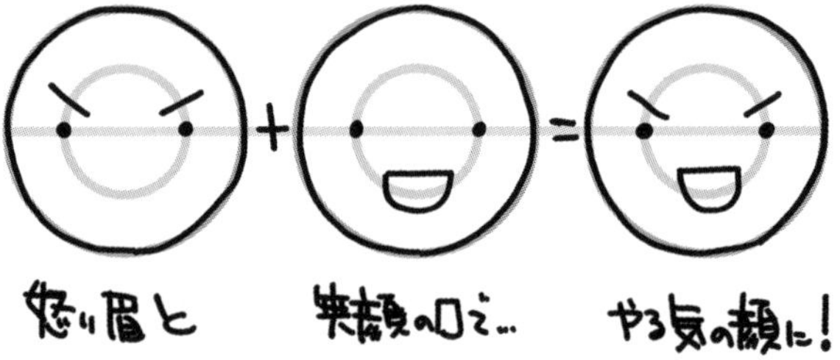


眉と口の関係を４象限にプロットすると、このような形になります。

## 感情マッピング

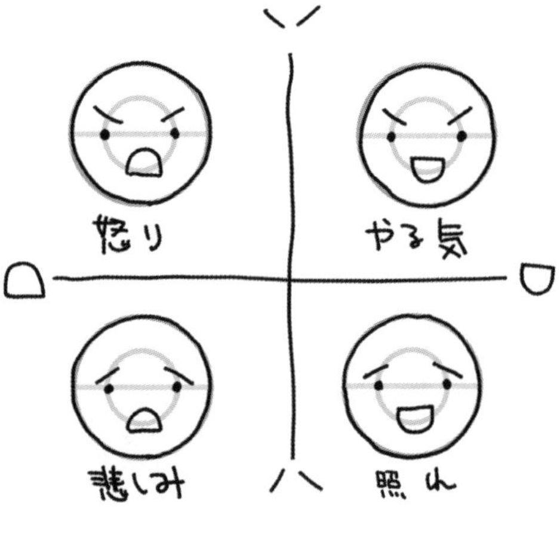

## さまざまな表情

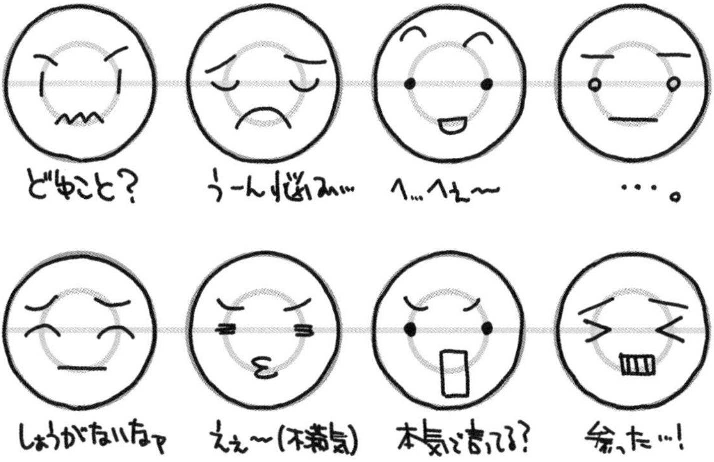


「眉・目・口」のそれぞれのパーツを描くバリエーションはそれほど多くないので、まずパターンを覚えましょう。次ページからよりくわしく説明します。

Tips 5

# 「眉」で感情の強さを表現する

グラデコでは、感情の強さを眉で表現します。「ハ」の字の眉は柔らかさになり、つり上がった「逆ハ」の字の眉は意思の強さになります。この傾きが水平になるにしたがって、無表情になっていきます。そこからさらにハの字までと、段階的に表現できます。角度がつくほど、より強い感情になります。感情の強弱に応じて角度を変えてみてください。

また、山型の眉はニュートラルな表現で多く使われます。

## 眉の表現

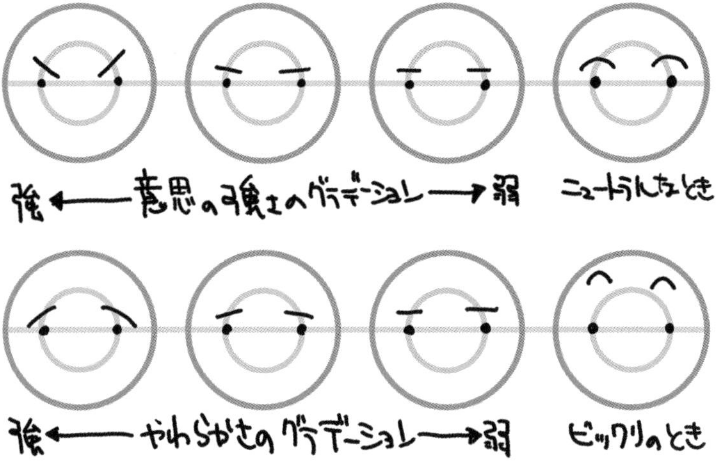

# Tips 6 「目の描き方」でさまざまな感情を表現できる

目の形には、さまざまなパターンがあります。

まず、目の形は点で表現できます。山型の線を描くと、ポジティブな感情を表現できます。そこから、横線の目になるにしたがって無表情になり、谷型の線になるにしたがって落ち着いた目になります。山の高さ、谷の深さによって、感情の強さを表現することになります。

ほかにも、目の描き方しだいでたくさんの表現ができます。たとえば、白目は、眉と口を組み合わせると強調した感情を表現できます。「ぼう然とする」「あっけにとられる」「驚く」などを表現する万能の形です。算数で習った大なり小なりの記号の形（＞＜）は、「痛い」「我慢」などを表現できます。星の形にして「驚き」を表現したり、三日月型にしてより「怒り」を表現したりと、さまざまな感情を表現できます。

## 目の表現

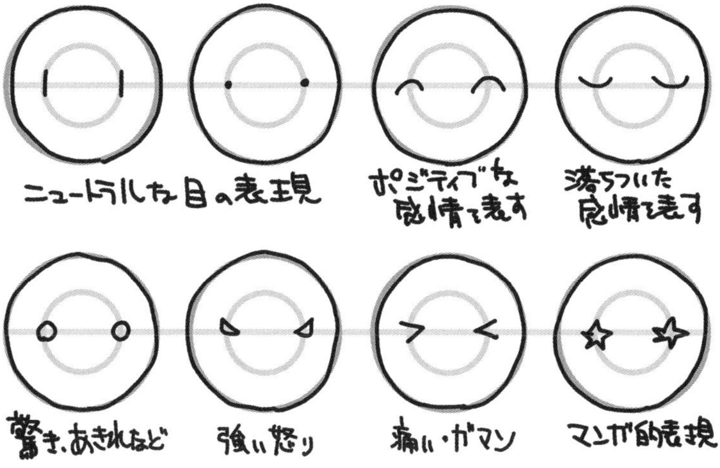

Tips 7

# 「口」の形が感情のベースになる

口の形は、ポジティブな感情とネガティブな感情のベースになります。眉と目をどんな形にしても、口の形に影響を受けます。「目は口ほどにものをいう」といいますが、グラレコでは口にはかなわないのです。

目の形では山型がポジティブな感情でしたが、口は谷型がポジティブな感情になります。そして横線になるにしたがって無表情になっていき、山型になるほどネガティブな感情になっていきます。

口の開け方でより豊かな感情を表現でき、口の大きさで感情の強さも表現できます。開いた口に縦線を数本描いて歯を描くと、いたずらっぽさや怒りを強調することもできます。

口の形も、絵ならではのさまざまな表現ができます。四角い形や大きな丸など、さまざまなパターンがあります。

## 口の表現

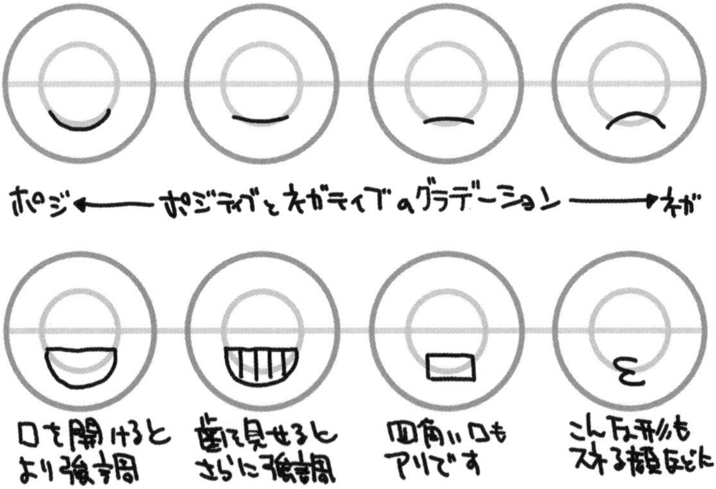

# Tips 8 「喜怒哀驚」を描いてみよう

感情の基本となる「喜怒哀驚」を描いてみましょう。グラレコでは「喜」と「楽」はほぼ同じ絵になるので、「喜怒哀楽」の「楽」と「驚」を入れ替えましょう。

喜怒哀驚を描くときのポイントを見ていきます。口がポジティブを表現する谷型にして目も山型にすると笑顔になり「喜」を表現できます。「怒」は、眉がハの字になっていて口がネガティブを表現する山型、「哀」は眉毛をハの字に、口は怒り同様ネガティブを表す山型や、波の形でも表現できます。「驚」は口を丸く大きく描くだけで驚きの表情になります。驚くときには目を見開くことが多いので、目は白目に、眉毛は目から離して描くとより驚きを表現できます。

ぜひ、実際に鏡の前で表情をつくりながら描いてみてください。きっとここで紹介した以上の気づきがあるでしょう。

## 喜怒哀驚を描く

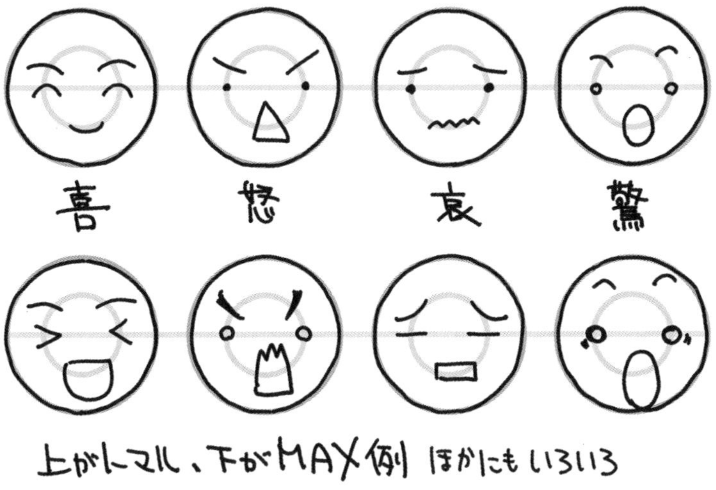

## Tips 9 「眉・目・口」を組み合わせてみよう

人間の感情は非常に複雑で、それに伴い表情も多彩になります。慣れないうちは思い描いた感情から表情を描くのはなかなか難しいものです。そこで、いろいろな顔のパーツを組み合わせて描き、できあがった表情から、「こんな感情のときには、こんな表情をする」を試行錯誤してみてください。いろいろなパターンを描けば描くほど、表現の引き出しが増えていきます。

人は左右対称であればどんなパーツで描いても顔だと認識できます。たとえば、目を「¥」や「$」にしてみてもおもしろいかもしれません。実際に手を動かして描いてみてください。

私たちの表現力は普通にやっていると限界があります。この限界を超えるためにおすすめの方法は、この組み合わせはないだろうという組み合わせで描くことです。一見すると遠回りのような気がしますが、感情表現の引き出しが増えていき、思い通りに感情を描くことができるようになります。コツは楽しみながら描くことにつきます。

### 感情パーツの組み合わせ

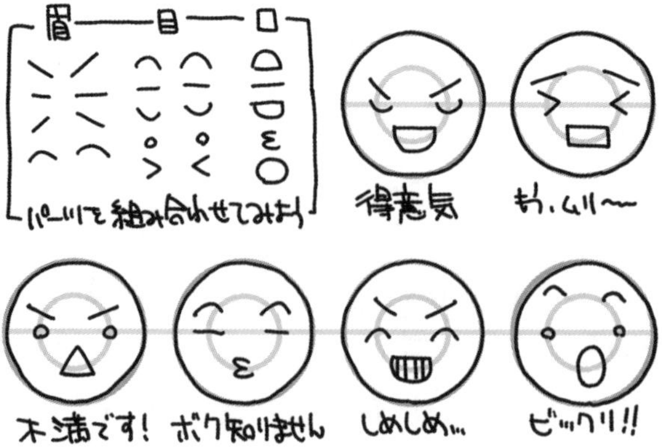

# Tips 10 「アイコン」で感情をより適切に描く

感情は、眉・目・口で表現できるとお話ししました。感情のアイコンを描くとより豊かな感情を表現できます。

「喜」は、音符やハートマークなどのポジティブなアイコン、「怒」は青筋マークやイライラを表す波線、「哀」は縦線数本や汗マーク、「驚」はエクスクラメーション（！）マークやギザギザなどのアイコンで表現できます。

ここで紹介した以外にも、たくさんの感情を表すアイコンがあります。漫画などを読むときに、ちょっと意識して読んで表現のバリエーションを増やしていきましょう。漫画もいっそう楽しく読めるようになるのでおすすめです。

## 感情アイコン

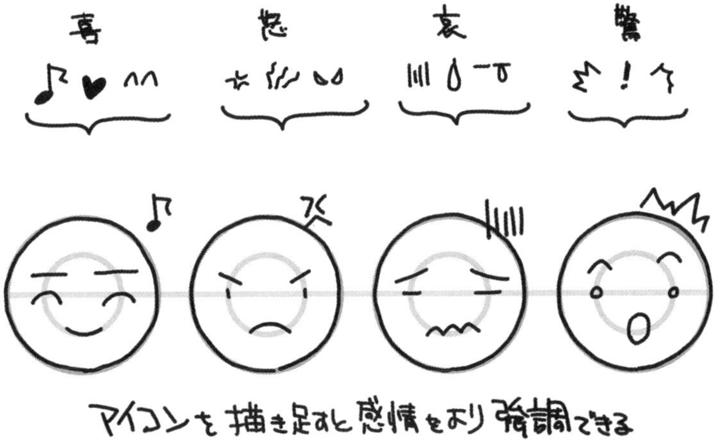

## Tips 11 「フキダシ」で人物に語らせよう

漫画などでは、登場人物の言葉を「フキダシ」で表現します。グラレコにフキダシをつけると、キャラクターがよりいきいきとし、動きを表現できます。

フキダシは、文字を先に描いてから線でぐるりと囲んで描きます。文字が多いときには、無理に全部を囲もうとせずに、文字の上は透明の線でつなぐイメージで囲んでください。人の脳は途切れている線を連続的なものとして処理するので、十分に伝わります。

また、フキダシからキャラクターに出す線を「フキダシのしっぽ」といいます。これが実線であれば「実際の言葉」を、丸をいくつか描くと「心の声」になります。また、直線をつなげた堅いフキダシにすると「(放送などの) 機械音」になります。漫画でおなじみの方法なので、イメージをつかみやすいでしょう。

### フキダシを描く

そのほかにもフキダシの形を変えればさまざまな感情を表現できますので、さまざまなパターンを描けるようにしましょう。

「喜」のフキダシは、スキップするような線で囲っていきます。ワクワクした気持ちで描くと効果的です。

「怒」は、トゲトゲしいイメージでギザギザに描いて表現できます。

「哀」は、涙でにじむ線をイメージして不安定に描きます。

「驚」は風船が破裂するイメージでギザギザの線をフキダシにしていきます。

感情を表すフキダシは起伏のある線で構成します。その起伏の深さで感情の強さを表現できます。

## 感情フキダシ

Tips 12

# モノを「擬人化」してみよう

グラレコでは、さまざまなモノのアイコンを描きます。そこでモノを「擬人化」して感情を持たせると表現の幅がさらに広がります。

擬人化は、人でないモノを人に模す手法です。具体的にはアイコンに顔を描きます。描いたモノに、眉・目・口の感情を表すパーツを描き加えると、喜怒哀驚などさまざまな感情を表現できます。

たとえば山の絵に、笑顔を描けば「自然保護」、哀しい顔を描けば「自然破壊」を表現できます。同じ絵でも、感情をポジティブとネガティブに描き分けることによって、真逆の意味を表現できます。

## 擬人化してみよう

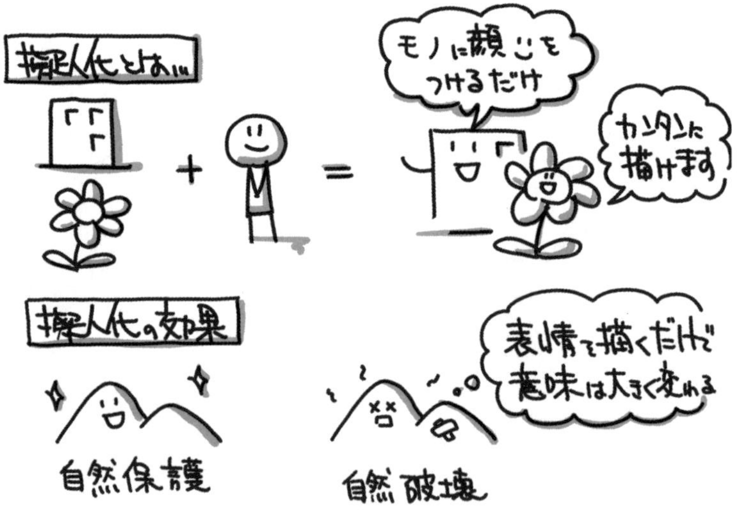

# Tips 13 体の描き方は大きく3パターン

人の体を描くのは難しいとよくいわれますが、とてもかんたんです。

まずは、「棒人間」を描いてみましょう。体の描き方はいくつかあり、大きく3つの流派（方法）があります。私は勝手に「しずく派」「星派」「四角派」と呼んでいます。それぞれに優劣はありません。どれも長所がありますので、描きやすいモノで描けばいいでしょう。

## 体の描き方の3パターン

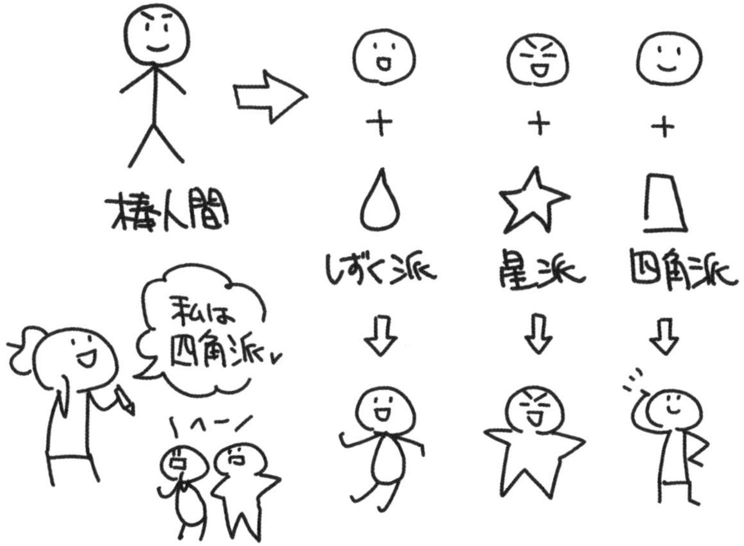

## ①かわいく描ける「しずく派」

「しずく派」は、体を雨のしずくのような形で描く手法です。

「しずく派」のメリットは、下半身がぽってりとした人形のような体を描けることです。動物の体をしずくで描くと、人形のようにかわいい体になります。手足の形は線でもいいですし、幅を持たせた手足でもかわいく描けます。

デメリットはほとんどありません。あえて挙げるなら下半身がぽってりとなり、人を描いたときに現実と異なる印象を与えてしまうことです。ただこれはデメリットというほどでもないので、お好みでメイン使いでもいいですし、アクセントとして一部で描くのもいいかもしれません。

### しずく派

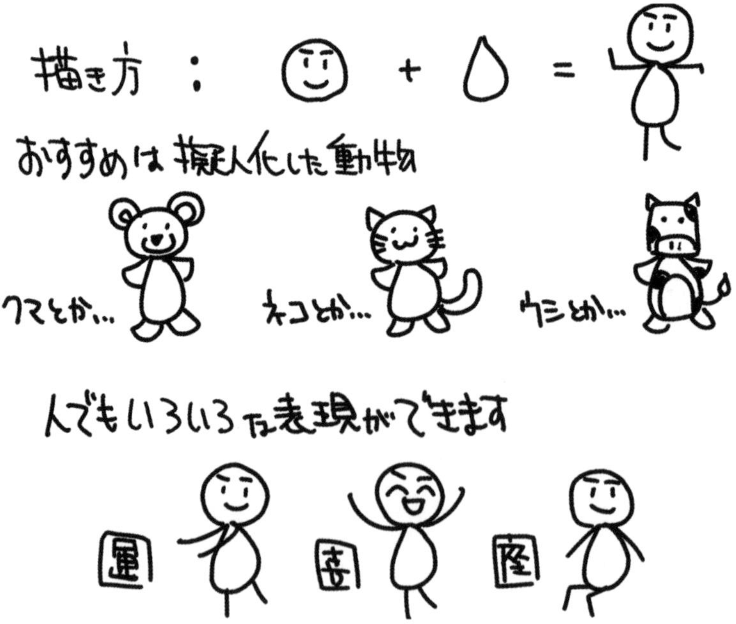

## ②初心者でもかわいく描ける「星派」

グラレコを学んだ多くの人が使っているのが「星派」です。見たことがある人も多いのではないでしょうか。

「星派」のメリットは、なによりお手軽に描けることです。初心者でも、とてもかわいい絵をかんたんに描けます。また、描き手によって表現がすばらしいものも多く、この表現に魅了される人も少なくないのではないでしょうか。

デメリットは、ポーズや動きを描きづらいことです。たとえば、手を上げているポーズ、走っているポーズを描こうとすると途端に難しくなります。ビジネスの場面で、「人」を描くときにはとても便利です。

### 星派

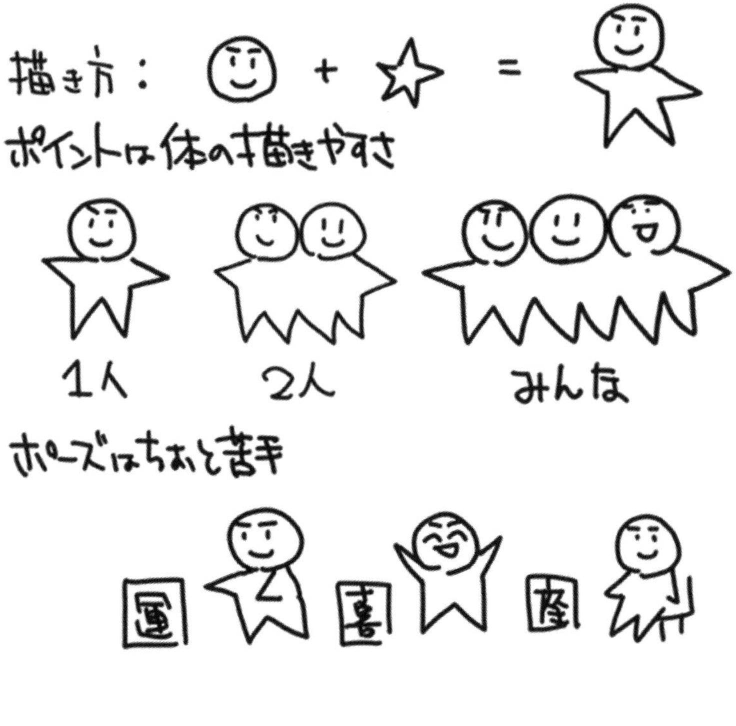

## ③動きを表現しやすい「四角派」

「四角派」は文字通り、体を四角で描く方法です。下のほうがやや広がる台形に描くとかわいく見えます。ルールは「腕は肩から生やす」の１つだけです。手足の形は線で表現をし、頭身（体の長さが頭何個分か）は2.5頭身がおすすめです。

四角派のメリットは、なによりも描きやすいこと、そしてポーズをかんたんに描けることです。初心者でもちょっとコツをつかめばかんたんにマスターできます。

私がよく描くのもこの「四角派」です。本書では、「四角派」を中心に説明していきます。

**四角派**

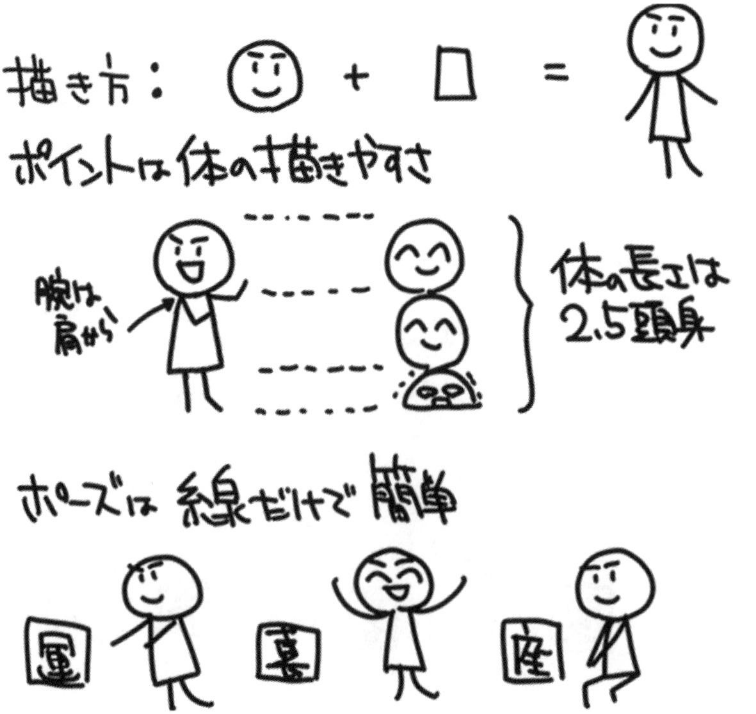

四角派のキャラクター、「四角ちゃん」を描くときには、顔と同じように、先に薄いペンや鉛筆などで枠線を描いておくと、とても描きやすくなります。

四角ちゃんを描くポイントは、「腕は肩から生やす」ことでした。多少頭身の描き方やバランスがくずれてしまっても、このポイントさえ守ればおかしなことにはなりません。

脚はどこから生やしても問題ありません。腰の両端から脚を外側に出すと大きく広げたように見え、男性のように見えます。また、内側から生やすと、女性のように見えます。

## 四角派の描き方

## Tips 14 体に動きをつけるには「軸」を傾ける

正面を向いたキャラクター（人）ばかりだと、グラレコ全体に動きがない印象になってしまいます。正面以外を向いた動きのあるキャラクターも描けるように練習しておきましょう。

体に動きをつけるには、体の重心バランスを傾けます。垂直に立っていると、どうしても重心が安定してしまって、動きを出せません。

たとえば、走るポーズを描くときに、直立の状態で走るポーズをしても、あまり走っている感じが出ません。そこで、重心が走りたい方向にかかるように体を傾けて描くと、「走っている感」が伝わります。

体の軸の傾きを大きくするほど、走る速さも表現できます。歩く表現は、体を少し傾けて描き、走る表現は傾きを大きくします。ただし、傾けすぎには注意が必要です。傾けすぎると現実にそぐわない絵になってしまいます。あえて現実離れした速さを表現したいときには、足をぐるぐると回す漫画のような表現にすると違和感がなくなります。

### 動きの持たせ方

Tips 15

# 顔の向きを変えるには「目・口」をずらす

顔の向きと体の向きは自然になるように描きます。

たとえば、横向きに走っているのに、正面（こちら側）を向いていると不自然です（あえてそう描きたいときは別です）。体に合わせて顔の向きを描くと、自然な絵になります。

顔の向きを表現するのはかんたんです。目の位置をちょっと左右にずらすだけで、左右に視線を向けられます。また、上下にずらせば、上下に視線を向けられます。上下左右を組み合わせれば、好きな方向に視線を向けられます。

## 顔の向き

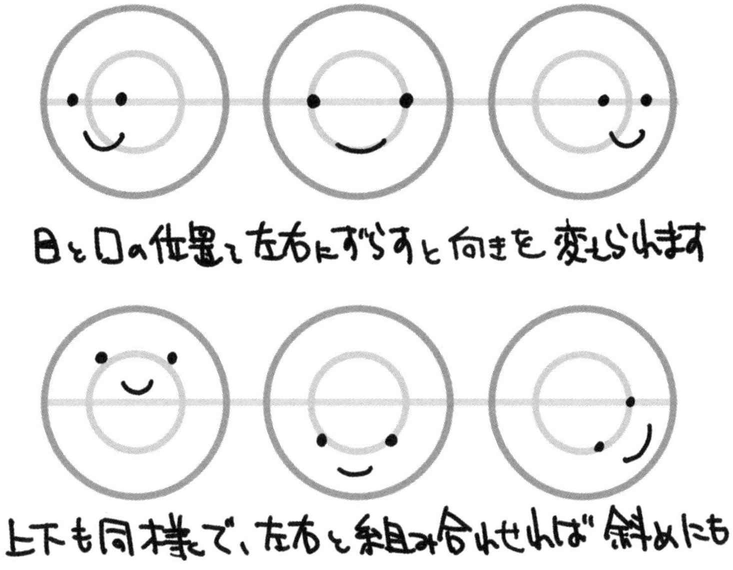

# Lesson 3
# 「似顔絵」を描こう

Tips 1

# 似顔絵を描いてみよう

グラレコでぜひ描きたいのが似顔絵です。登壇者やイベント参加者、スタッフなどの似顔絵を描けると楽しい雰囲気になります。

とはいっても、似顔絵を描くのは難しそうだと思う人も多いのではないでしょうか。私がワークショップの参加者に似顔絵について聞くと、「そもそも描いたことがない」「描き方がわからない」「苦手」という答えがよく返ってきます。

でも、安心してください。グラレコで描く似顔絵はがんばって似せなくても大丈夫です。大事なのは、上手下手よりも真心を込めて描くことです。

ここからは似顔絵の奥義を紹介しますので、身近な人の似顔絵を描いて練習してみましょう。真心を忘れずに描けば、きっと相手に喜んでもらえるでしょう。絵の上手下手よりも想いのほうが勝るのです。

## 似顔絵を描いてみよう

# Tips 2 似顔絵の奥義

いまから似顔絵の奥義をお伝えしましょう。

それは「顔の脇に文字で名前を書く」ことです。

拍子抜けしたかもしれませんが、不思議なことに名前を書けば似ているように見えてきます。

そもそも「似顔絵」とはなんでしょうか。似顔絵は、誰の顔かがわかる顔の絵ですから、描かれた人が誰かがわかればいいのです。これを実現するには、「文字で名前を添える」が最もかんたんな方法なのです。

人が誰の似顔絵かを認識するプロセスとして、描かれている顔の特徴を見て、頭のデータベースから該当している人を探していきます。そこから該当している名前を見つけて、描かれている人の名前を想起します。想起する名前をあらかじめ描いてしまえば、似顔絵が誰であるかを認識するプロセスを大幅に短縮でき、脳に優しい似顔絵になるのです。

## 似顔絵プロセス

## Tips 3 似顔絵キャラクターを描き分ける方法

グラレコで似顔絵を描くときには、なるべく時間をかけずに、単純に描きます。そうすれば複数の人を描くこともできます。

はじめにグラレコの基本キャラクターを描きます。そこにリボンなどのワンポイントを描きます。そして、そのワンポイントがあるキャラクターに奥義である「名前」を書きます。これだけです。

似顔絵に名前がつくと、その人の顔に見えてくるから不思議です。これは顔の絵と名前が組み合わさることで、どんな顔を描いても「似ていないけれども、似ている」状態になります。

グラレコで似顔絵を活かすポイントは、無個性なキャラクターの中に１人だけ特徴のあるキャラクターを混ぜることです。そうすると、キャラクターが際立ちます。

### ワンポイントを描く

Tips 4

# 似顔絵の４つのレベル

似顔絵を描くときに多くの人が悩むのは、「リアルに描くか、デフォルメするか、どこまで省くか」です。そこで私は似顔絵の４つのレベルを考案しました。レベルが上がれば上がるほど、リアルになっていきます。レイアウト（紙面）上の描く場所によって、レベルを描き分けます。

タイトルの近くは、目立つ場所なので、なるべくリアルに描きます。

グラレコ本文では、なるべく省略して短時間で描くのがいいでしょう。グラレコの最中には、スピーディに描くことが求められます。似顔絵に時間をかけていると話がどんどん進んでしまって、肝心な話を聞き逃したり、描き漏らしたりしてしまうからです。

## 似顔絵レベル

## Tips 5 まずは型から覚えようレベル1編

似顔絵のレベル1はなるべくかんたんな形で描きます。

まず二重丸の円を描き、横線を引き、顔のフレームを描きます。二重丸の外円の縁をなぞったら、内側の円に沿って眉・目・口を描いていきます。

つぎは、その人なりの特徴（眉・目・口・髪など）を最も単純な形で描きます。この特徴は時間をかけずにさらっと描いてOKです。

最後に忘れてはならないのは、名前でした。

レベル1の似顔絵は、おもにグラレコの本文中で使います。無個性なグラレコのキャラクターの中で、ワンポイントを持つ個性があるキャラクターを描くと、その存在を際立たせることができます。ここでは髪を描きましたが、アクセサリーやリボンでもいいです。

### 顔の描き方の基本（レベル1）

# Tips 6 まずは型から覚えようレベル２編

似顔絵がより似顔絵らしくなるのは、レベル２からです。レベル１で描いたキャラクターに、耳や鼻、髪の毛をかんたんに描きます。

まず顔のフレームを描きます。

つぎにフレームに沿って外周を描き、内側の円に沿って眉・目・口、さらに鼻と耳、髪を描きます。髪は円の内側に描くだけで大丈夫です。そして忘れてはいけないのは名前でした。

もうひと工夫として、首を描いてみましょう。襟をちょっとだけ描くと、とても安定した似顔絵になります。

レベル２の似顔絵は、グラレコの見出しの部分にも使えます。

まずは、このレベル２を描けるように練習してみましょう。

## 顔の描き方の基本（レベル２）

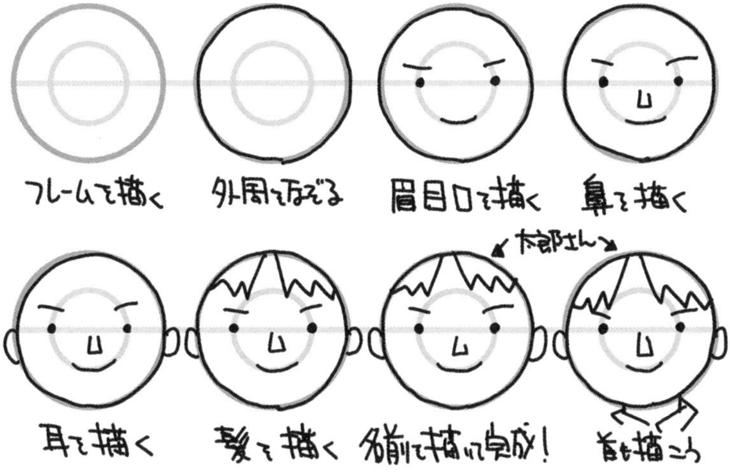

# Tips 7　まずは型から覚えようレベル３編

いよいよ似顔絵のレベル３にチャレンジです。レベル２では顔の輪郭を円で描きましたが、そのままで描くと髪の毛が寂しくなってしまいます。そこでレベル３では髪の毛の表現を豊かに描いていきます。

レベル３の描き方は、まずは下半分の半円を描いていきます。上半分を描かないのは、髪の毛のボリュームを表現するためです。そのあとはレベル２と同じ手順で、眉と目と口を描き、耳や鼻を加えていきます。

つぎに髪の毛を描きます。レベル２で描いた上半分の円は頭の皮膚の部分になるので、頭の中でレベル２の線をイメージして、そこから少し大きめに髪を描いていきます。ここで、髪のボリュームがある人はより大きめに髪の毛を描き、ボリュームが少ない人はフレーム円に近い形に描いていきます。

## 顔の描き方の基本（レベル３）

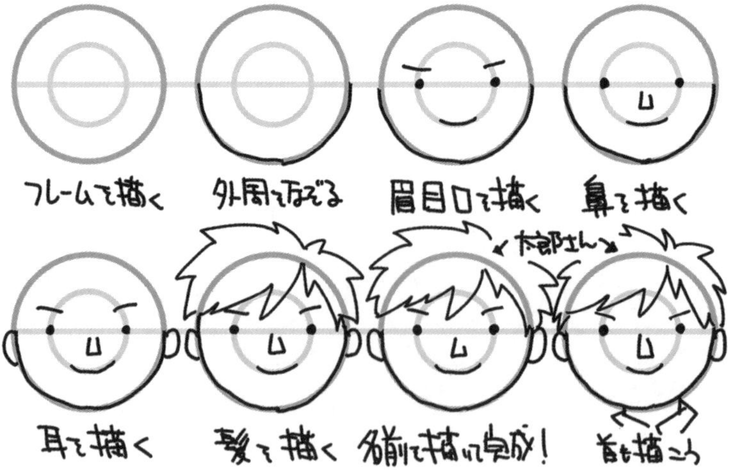

# Tips 8 まずは型から覚えようレベル4編

よりリアルに描きたい人は、レベル４にチャレンジしてみましょう。

レベル２やレベル３よりも時間をかけてより似せていきますが、このレベルでは定型的な描き方はないので、ご自身の絵柄で描きやすい方法で描いていきましょう。

パターンとしては写真に近い描き方、劇画や漫画に寄せた描き方などがあります。デジタル限定の方法ではありますが、誰でもレベル４の似顔絵が描ける奥義があります。それは写真をトレースする（写す）裏技です。レイヤーという透明のフィルムのような機能を使って、写真を下に敷いて、写真の上にレイヤーを重ね、写真をなぞっていきます。そうすればかんたんにレベル４の似顔絵を描くことができます。

## 顔の描き方（レベル４）

## Tips 9 似顔絵のポイントは口元

自分が似顔絵を描いてもらうとしたら、どんな表情を描いてほしいですか？　喜怒哀驚の基本的な感情で考えたときに、ほとんどの人は怒った表情や哀しい表情ではなく、笑顔を描いてほしいでしょう。

笑顔を描くときのいちばんのポイントは、口元です（62ページ参照）。口角の上がった笑顔を描くことを基本にしましょう。

口角を上げると眉毛の形がつり上がった怒りの眉毛であっても、眉毛が下がった哀しみの眉毛であってもポジティブな雰囲気になります。

逆に、口角を下げて描くと、全体的に笑顔からほど遠いネガティブな表情になってしまうので、口角が下がった山型の口を描くことは、よほど特徴的である人をのぞいて避けてください。最低でも横一直線の口にするにとどめておきましょう。

### ベースは笑顔

# Tips 10 鼻は2パターン

「似顔絵の鼻はどのように描けばいいのでしょうか？」とよく質問されます。グラレコで描く似顔絵の場合、鼻はその人の特徴にそれほど影響を与えませんので、デフォルメをした２パターンが描ければ十分です。

１つは「四角型」です。鼻筋がしっかりしている人を描くときに向いています。鼻が長いときには、縦長に描いて表現できます。

もう１つは「丸型」です。横幅のある鼻を描くときには丸型で描きましょう。

ポイントは、あまりリアルに描きすぎないことです。とくに注意したほうがいいのは、ニンニク鼻を描いてしまうことです。そう見えたとしても、無理に似せて描く必要はありません。デフォルメして描けば、見た人は脳内で補完して見てくれます。

もし自信がないときには、鼻を描かない方法もあります。鼻がなくても違和感はあまりないので、鼻を描くことが難しいときや、描く時間がないときには無理に描かなくてかまいません。

## 鼻は2パターン

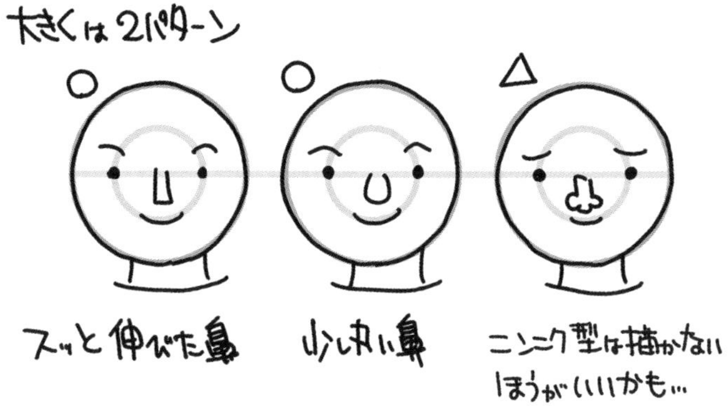

Tips 11

## 眉は印象を描く

似顔絵の眉については、細い太いと長い短いとの違いはありますが、無理に似せなくてかまいません。大切なのは相手から受けた印象です。

第一印象が「しっかりしてそう」「かしこそう」と感じたときには、怒りの「逆ハ」の字型に毛を立てて描きます。また、「優しそう」「おっとりしていそう」と感じたときには、哀しい「ハ」の字型の眉を描きます。

眉毛の傾きによって印象は大きく変わります。ただし、口角を上げて描けば、「ハ」の字型の眉でも、ネガティブな印象にはなりません。実際に描いて練習するのがいちばんなので、まずは描いてみましょう。

### 眉は印象で

# Tips 12 目元は似顔絵の大事な要素

似顔絵を描くうえで、いちばん大事な要素が目元です。目元を描くのはちょっと難しいですが、ぜひチャレンジしてほしいところです。

私たちは相手を見るときに、まず顔を、とくに目元を見ます。この目元を似せて描ければ、ひと目見て「似ている」と感じるものです。

目元は、ベースで描いた丸い目にまぶたを描いていきます。４つのパターンを押さえておきましょう。大きな目を描く場合は、目の上に山型のまぶたを描きます。まぶたを斜めの向きで、垂れ目とつり目を描き分けられます。細めの場合は、目にかぶるようにまぶたを横に描きます。

まぶたの位置をずらすと、横を見ている様子を描けます。目線をそらしている似顔絵を描きたいときには、まぶたを工夫してみましょう。

## まぶたをかいてワンランクアップ

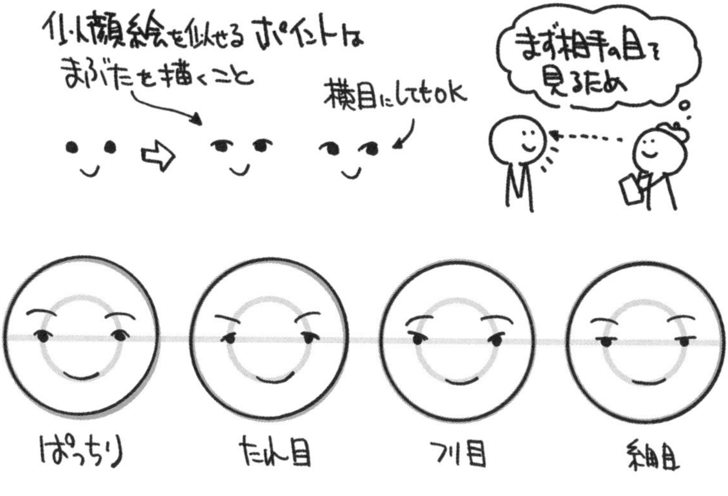

# Tips 13 ワンポイントでかわいく描く奥義

似顔絵の描き方の基本を紹介してきました。ここからは応用編として、かわいく描くコツを紹介しましょう。

ほおに斜線を描きます。具体的には／／／のように短い線を３本ずつ、両頬に描きます。もう少し幼い表現にしたい場合には、／／／を○にします。友達など、親しい人の似顔絵を描くときに使うといいでしょう。カラーの場合には、ピンクやオレンジなどの暖色で斜線を描くとよりいいです。

また、髪の毛を顔の内側に描くと小顔っぽくなります。

ちょっとした工夫で表現の幅が広がりますので、いろいろな表現を学んで、グラレコ表現の引き出しを増やしましょう。

## カワイク描く奥義

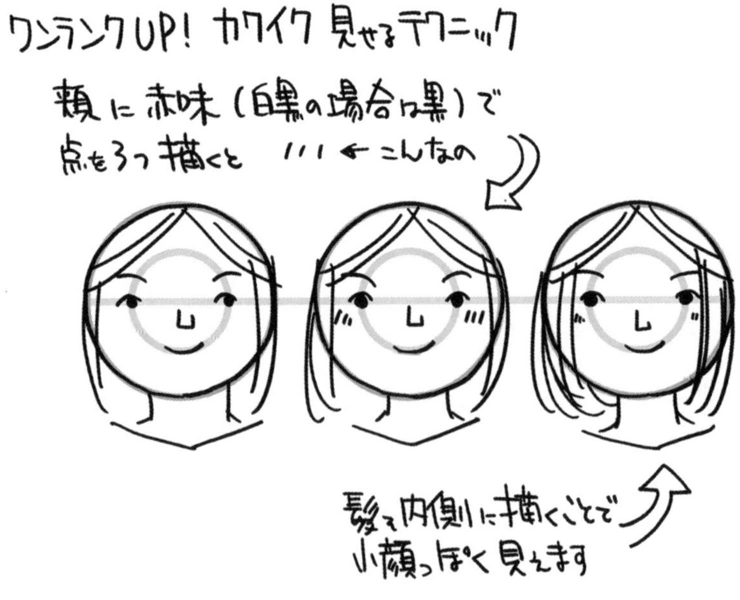

Tips 14

# ワンポイントで イケメンに描く奥義

かわいく描く奥義と対をなすのが、イケメンに描くコツです。しかも一瞬で描けます。その方法はかんたんで、顔の周りに星を散らすだけです。といってもピンとこない人が多いでしょうから、実際に描いてみてください。どうでしょう、顔に輝きが出て、まぶしく見えてきませんか？星の数は２～３個くらいがちょうどいいです。

また、眉を立てて描くと、よりキリッとした表情になり、意思が強い表情にするとより聡明に見えてきます。

## イケメンに描く奥義

## Tips 15 メガネやアクセサリーはわかれば十分

似顔絵を描くときに特徴となるのが、メガネやイヤリングなどのアクセサリーです。アクセサリーは、詳細に描く必要はありません。身につけていることが記号としてわかれば十分です。

似顔絵でいちばんよく描くアクセサリーはメガネです。メガネは、フレームの下半分を描くだけです。メガネを下半分しか描かない理由は3つあります。1つめは、囲ってしまうと目線が不安定になり、レンズの中心に目を描かないと目線があちこちに向いてしまい、とても不安定になるからです。よほどていねいに描かないと難しいので囲わないほうがいいでしょう。2つめは、記号としてわかれば十分だからです。3つめは、囲ってしまうと重要なパーツである眉が隠れてしまってその人の個性が表現できなくなってしまうからです。

イヤリングは耳についていることがわかればいいので、詳細な形は気にせずにおおまかに描いていきます。また、ネックレスも記号としてわかればいいので、点線で描くだけで十分です。

### アクセサリーの描き方

# Tips 16 似顔絵無理！となったときの緊急回避法

似顔絵を描くときに、似せて描く自信がない、パーツを詳細に描く自信がないこともあるでしょう。とくに、親しくない人の似顔絵を描くときにそう感じるかもしれません。私自身も、似顔絵を描きはじめた当初はとくに目元を描くことが不安で、大きな横長のだ円形で目を描いていました。

そこで、「似顔絵を描くのは苦手なんだけど、描かなきゃいけない！」というときの緊急脱出奥義をお伝えします。先ほど紹介した「名前を書く」だけでもまずはOKです。

笑顔になるように口や眉を描きます。目は、丸く描いてもいいですし、縦長の目を描いて漫画的な表現にすることもできます。鼻は「く」の字にしたり、小さな山型にしたり、思いきって鼻は描かないという選択肢もあります。

## 似顔絵緊急回避

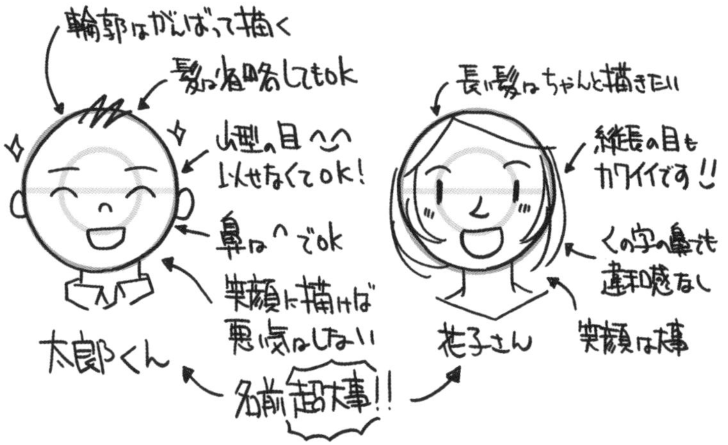

# Lesson 4
# 「文字」を描こう

Tips 1

# 「文字」を描いてみよう

グラレコでは、絵のほかにも文字も描きます。きれいで読みやすい文字を描けると仕上がりもよくなります。文字の描き方の基本を確認しましょう。

まずは、「ペンで描いてみよう」（22ページ）でも紹介しましたが、文字を描くときにも「横細縦太」を意識して描きます。漢字をやや大きめに、「てにをは」などの助詞のひらがなを小さく描くと、全体のバランスがよくなります。

この描き方は、ミーティングの板書などでも使えるので、ぜひ覚えておきましょう。

## 文字の描き方

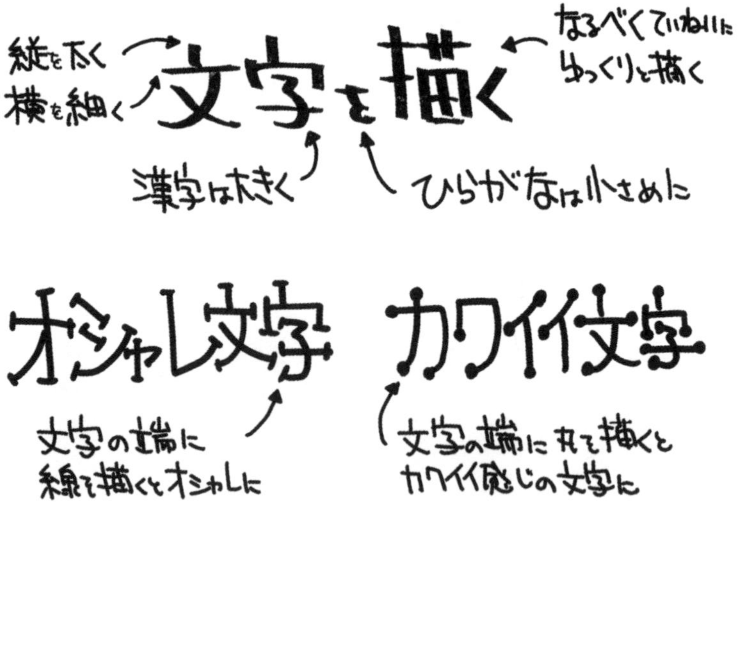

Tips 2

# カラフルな文字はかえって読みにくい

　文字の色はどうやって選べばいいでしょうか？　カラフルな文字が描かれたグラレコもよくありますが、私のおすすめは黒です。

　グラレコをするのは「人に見てもらうため」であり、見やすいのがいちばんだからです。カラフルだと、かえって見にくくなってしまいます。黒は、コントラストがはっきりしているので、遠くからでも見やすいのです。黒以外の色を使いたいときには、青などなるべく濃い色を使いましょう。

## 文字の色

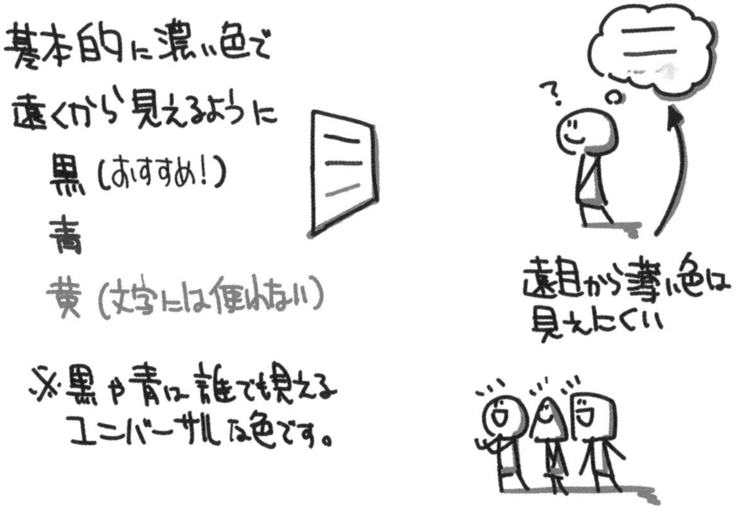

# Tips 3 文字を囲んで目立たせよう

タイトルやキーワード、トピックなどの文字を目立たせたいときには、「看板」や「リボン」で囲む方法もあります。

まず、「看板」です。最初に、文字を四角またはふちどりで囲みます。どんな形で囲んでもかまいません。つぎに、影と同じ要領で、右下に少し幅を持たせてなぞっていきます。そうすると、板のような厚みが出ます。最後に、描いた板状の後ろに棒を差し込めば看板の完成です。

## 文字の飾りつけ

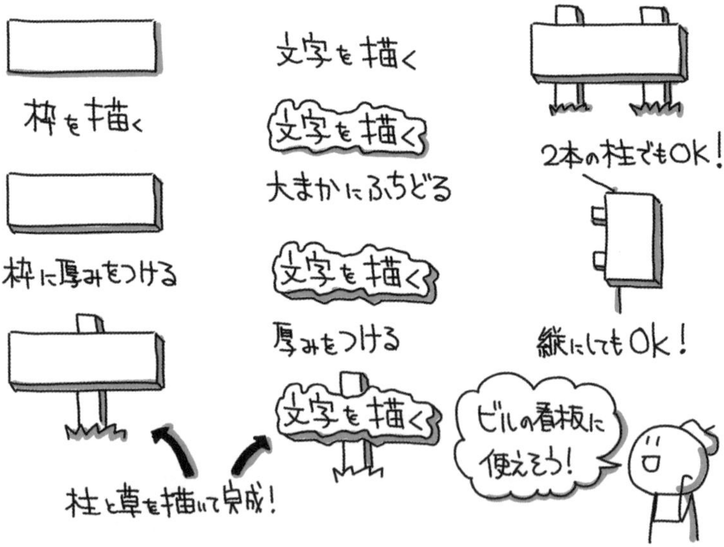


つぎに「リボン」です。いちばんかんたんな描き方は、文字を四角で囲んで、囲んだ四角の左下と右下に小さな四角を描く方法です。すぐに描けるようになるので、ぜひトライしてみてください。

単純なリボンの描き方に慣れてきたら、もうすこし立派なリボンを描いてみましょう。先に説明した単純なリボンの場合は折り込みを省略しましたが、リボンは左右に折り込みが入っていますので、折り込みの部分を描きます。折り込みの描き方は、右端の部分はZの形に折り込みを描いていきます。反対側は向きを逆にして描きます。リボンの両端は切れ込みを入れるとよりおしゃれになります。

さらに豪華なリボンを描きたいと思った場合、文字を四角に囲わず、扇状にリボンを描きます。このような扇形のリボンの描き方は、まずは扇形のラインを描き、その上に文字を書いていきます。文字が書けてから扇形の四角で囲っていきます。折り返しや両端については前で説明したリボンと同じです。

リボンは慣れるとそんなに難しくありません。また、曲線のリボンを描くときには、黄色や蛍光ペンなどのとくに薄いペンで線を下描きして、その上に文字を描いて囲むと描きやすいです。

## リボンの描き方

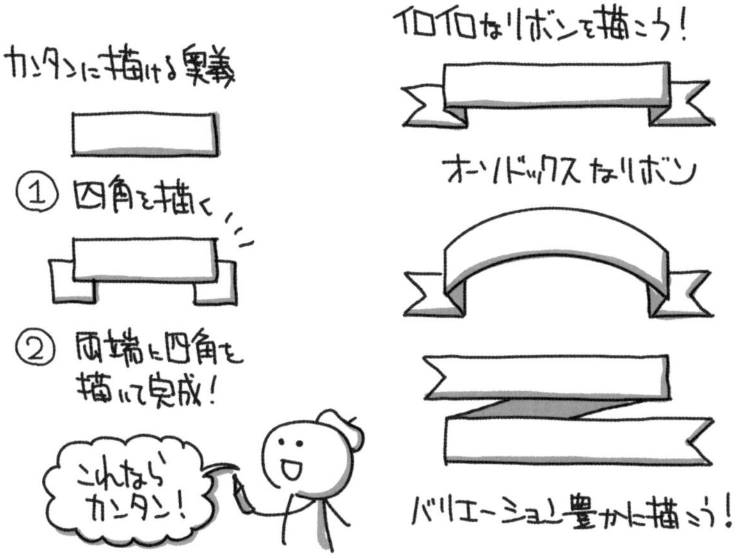

Tips 4

# 「フクロ文字」を描いてみよう

グラレコをしていると、文字を太くして目立たせるために「フクロ文字」を描くことがあります。いざ描こうとすると難しく感じる人も多いので、フクロ文字をかんたんに描くコツを紹介します。

まず、フクロ文字を塗りつぶしたい色で、文字を下描きします。つぎに、下描きした文字を均等にふちどるように線を引きます。このときに文字の線がクロスするところで、線をきちんとつなげましょう。線がガタガタになると、遠目で見たときに違和感のある線になってしまいます。

フクロ文字が完成したら、内側を下描きした色で塗りつぶします。これで下描きしたあとが消せます。塗りつぶした際に、色がはみ出してしまうこともあるかもしれませんが、その際は、そういうテイストということで、あまりに気にしすぎなくてOKです。

フクロ文字は、慣れば下描きなしで描けるようになります。

### フクロ文字の描き方

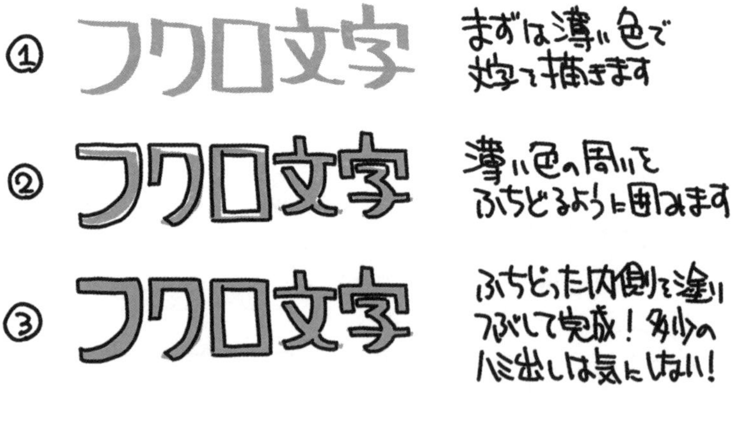

# Tips 5 「アルファベット」を描いてみよう

アルファベットを描くコツは、均等なサイズで上下にずれないように直線上に並べることです。慣れないうちは難しいので、はじめはガイドラインを引いていきます。

アナログの場合、きれいな均等の文字を描くコツは、あらかじめ黄色などの目立たない色でガイドラインを引いて、ガイドラインに合わせる形で描いていきます。ガイドラインを３本引いて、それに合わせるたちでアルファベットを描いていきます。

デジタルの場合は、レイヤーを分けてガイドラインを引くとあとでかんたんに消せるのでおすすめです。

## アルファベットを書いてみよう

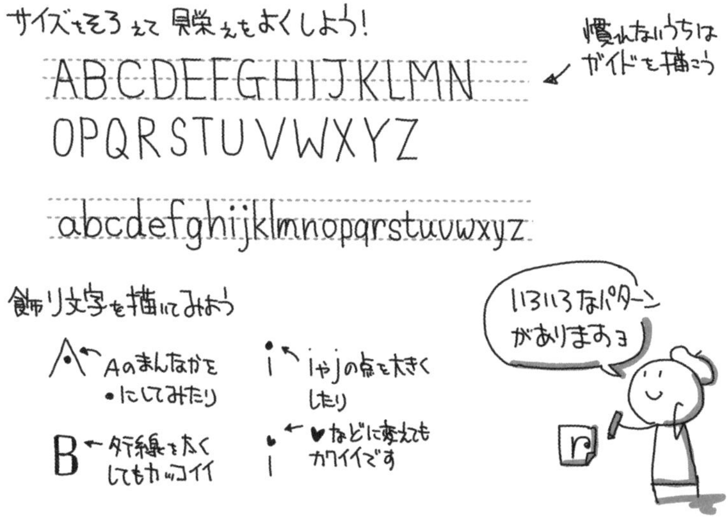

Tips 6

# 「数字」を描いてみよう

重要な意味を持つ数字やデータは大きめに描きましょう。ほかの文字に比べてひと回り大きく描くと強調できます。この手法はプレゼン資料を作る際にも、データなどの強調したい数字は大きめの文字を使います。

また、フォントを変えることも有効です。まずは、上下の高さをそろえて、幅を均等になるように、ていねいに数字を描きましょう。安定した見やすい数字となり、アレンジしやすくなります。

たとえば、数字の縦線を描いて数字を太くすると、かんたんに見栄えがよくなります。縦線の内側は塗りつぶしてもいいです。またはフクロ文字にしたり、文字に顔や飾りをつけたりすると、数字をかわいく表現できます。

すべてのパターンが描けるようになるよりも、まずは自分の描きやすい方法や好みの方法を身につけておくといいでしょう。

## 数字の描き方

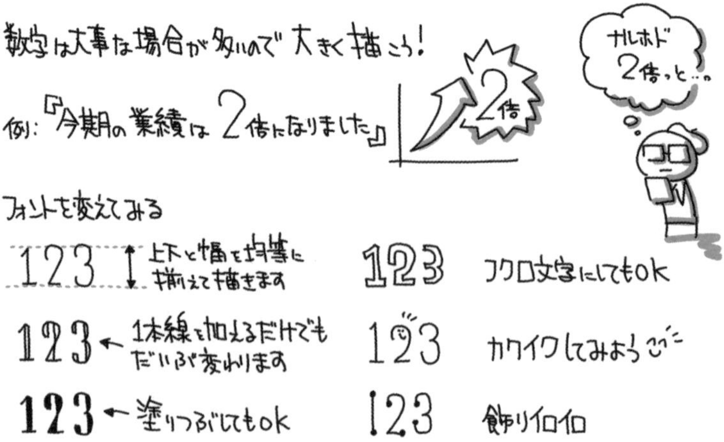

# Lesson 5
# 「飾り」をつけてみよう

## Tips 1 影をつけて立体的に表現しよう

影をつけると、キャラクターやモノを立体的に表現できます。影を描くときには、紙面の左上に光源を置いて、右下に影を描くのが基本です。

光源を決めておけば、影の向きや位置がバラバラになるのを避けられて仕上がりがよくなります。最初のうちは、左上に光源を置くのが描きやすいでしょう。

左上の光源から右下に対して光が差し込むイメージで影をつけていきます。このとき、なるべく薄い色で右下に描きます。薄い色ならどんな色でもかまいません。メインカラー（110ページ参照）に沿った影の色を使うと、違和感なく表現できるのでおすすめです。

また、左上に黄色でちょっとテカリを入れて光を表現すると、より立体的になります。

影が描けると、メリハリがついてアクセントがつくようになります。

### 影のつけ方

# Tips 2 凝った影を描いてみよう

左上に光源を置き、右下に影を描くのに慣れてきたら、ほかの場所に光源を置いて描く方法も試してみましょう。

たとえば、中心に置いた大事なキーワードを光源として、影を描く方法があります。その光源を中心とすると、放射状に影ができます。

影を描くときには、「光源と反対方向に影ができる」と覚えておきましょう。そうすれば、どこに光源を置いても迷わずに描けます。これを基本に、いろいろな影の描き方にチャレンジしてみてください。

## 影の応用

Tips 3

# 文字に影をつけてみよう

文字の色は、黒や濃い色がおすすめですが、薄い色を使いたい場面もあるでしょう。薄い色を使っても見やすくするためには、影で文字を飾る方法があります。

薄い色で文字を描き、左上から光が差しているイメージで、細い黒ペンで文字の右下に影をつけていきます。グラレコが見やすくなるように、影の向きをすべての文字でそろえましょう。

横線の影をつけるときには、横１本だけ引くのでなく、縦線を少し入れると線に厚みが出ます。そうすると、横線も太さを持つ線として認識できます。

また、左上から光を差しているとした場合、光源に対して垂直となる右下への斜線の影は、上下どちらかに決めて統一して描きます。

## 文字の影つけ

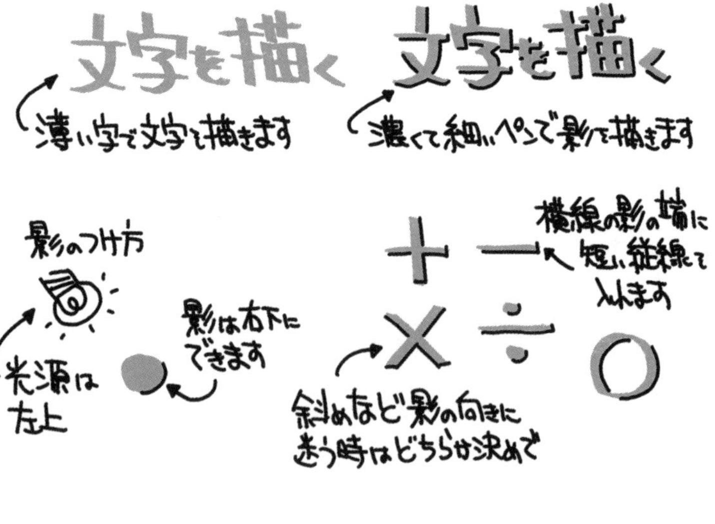

# Tips 4 「ポイント」を強調してみよう

ノートやメモの内容を強調したいときに、蛍光ペンでマーキングをする人が多いと思います。

強調のバリエーションが増えると、さまざまな表現できるようになりますし、とても楽しくなります。タイトルをフキダシや看板やリボンで囲めば強調できます。

ほかには、擬人化したキャラクターに注目させる方法もあります。人間には、顔に着目し、その目線を追ってしまう習性があります。そこで、大事なところにキャラクターの目線を向けると、キャラクターの目線の先に目が向きます。そうすれば、見返したときにわかりやすくなります。

もちろん蛍光ペンでマーキングする方法も有効ですので、絵との合わせ技で楽しく描きましょう。

## ポイントを強調してわかりやすく

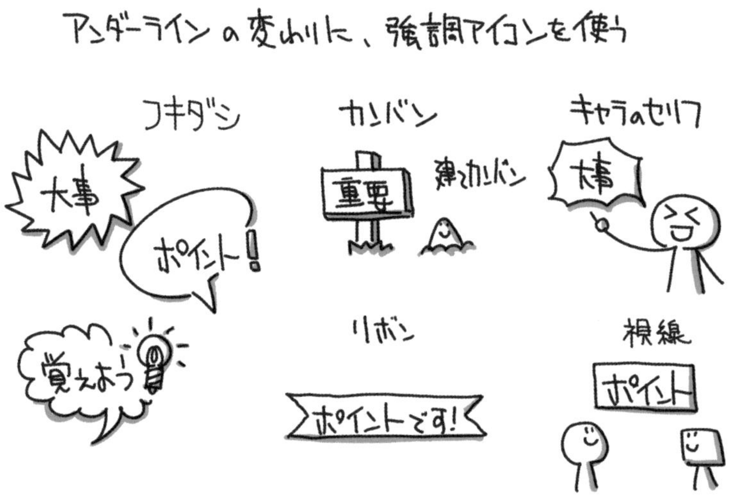

## Tips 5 いろいろな「矢印」を描いてみよう

グラレコで描く矢印には、さまざまな役割や表現方法があります。矢印は先っぽに三角をつけて描きますが、AからBへの流れやつながりを表現できます。さらに、その大きさで関係の強弱を、線の形や太さで強さを表現することができます。線が細い線や点線の場合には弱い矢印になります。線が太くなればなるほど強い矢印になり、その太さによってグラデーションを表現できます。

そのほかにも矢印の形を工夫することができます。袋文字のようなふちどった矢印、縁取りの内側を塗りつぶしてもいいです。影をつけると、立体的な矢印になります。また力強い矢印や、ぐるぐるねじるような矢印、波形などさまざまな表現があります。

### 矢印でリード

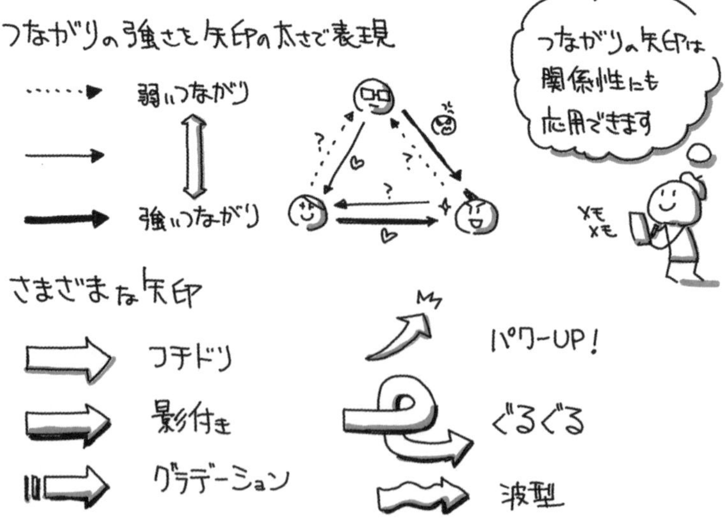

# Tips 6 感情を表す矢印

矢印の線を工夫するとさまざまな感情を表現できます。喜びの線は弾むような線、怒りは感情の激しさを表すギザギザの線、悲しみは力なくさまよう線、驚きは破裂するような線でそれぞれ表現できます。要素AとBがどのような感情でつながっているかを線だけで表現できますので、ぜひ使ってみてください。

そしてこの感情の線を丸く包むとフキダシになります。フキダシの形は感情の線と同じように描けることがわかります。感情の線をマスターして、フキダシを含めたさまざまな感情の線をマスターしていきましょう。

## 矢印でリード2

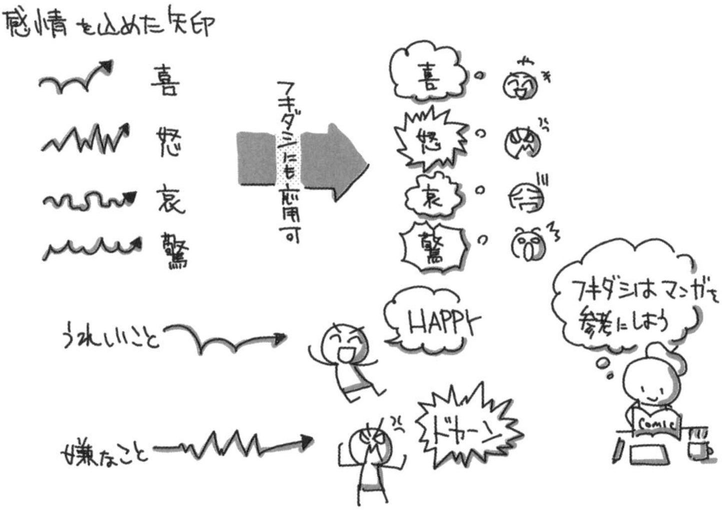

# Tips 7 全体のメインカラーを決めよう

グラレコで大事なことは統一感です。デザインはもちろん、色も統一してグラレコを見やすくしましょう。

色は、カラフルにしすぎないように、基本的に３色程度にとどめます。たくさんの色を使うと、情報がごちゃごちゃしてしまい、どれが大事な情報なのかわかりづらくなってしまうからです。

グラレコの中心となる「メインカラー」の選び方にはいくつかあります。まずは、登壇者の会社（組織）のコーポレートカラーを使う方法です。この色を選択するのが最も無難です。コーポレートカラーは、ネットで企業のロゴやホームページを調べればわかるでしょう。

または、テーマからイメージする色を選ぶ方法もあります。たとえば、環境問題の話なら、環境から想起する緑や青を選択します。自分自身の主観的なイメージで選べばいいでしょう。

この方法で選べない場合は、当日登壇者が着てきた服装のコーディネートカラーを使うのがいいでしょう。

## メインカラーの選び方

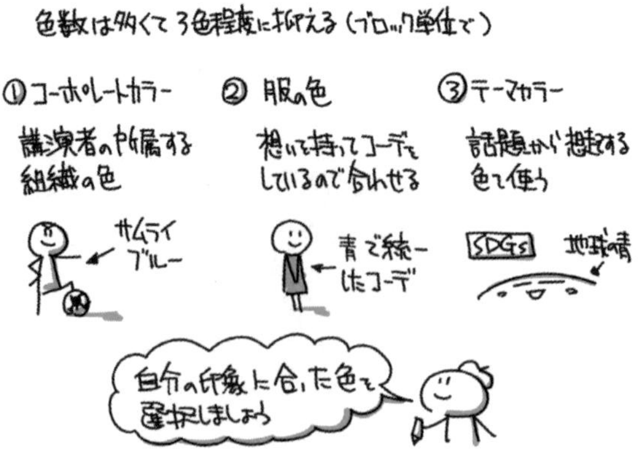

# Tips 8 色のバランスを工夫しよう

色には「ベースカラー」「メインカラー」「アクセントカラー」の３種類があります。

ベースカラーは、全体の下地となる色です。一般的には模造紙なら白、黒板の場合は黒になります。

メインカラーは、先ほど選んだグラレコの中心となる色になります。この色で影をつけたり、囲みの色をつけたりしていきます。

最後にアクセントカラーについてですが、グラレコのなかで最も大事なところや、強調したいことを表す色になります。全体の５％なのでほとんど使うことはありません。よって目立つ色を使うことをおすすめします。たとえば、赤や青など、メインカラーでは使わない色がおすすめです。

そのバランスにはおすすめの比率があります。ベースカラー、メインカラー、アクセントカラーの比率を70：25：５で配置していくと全体がきれいに仕上がります。

## 色のバランス

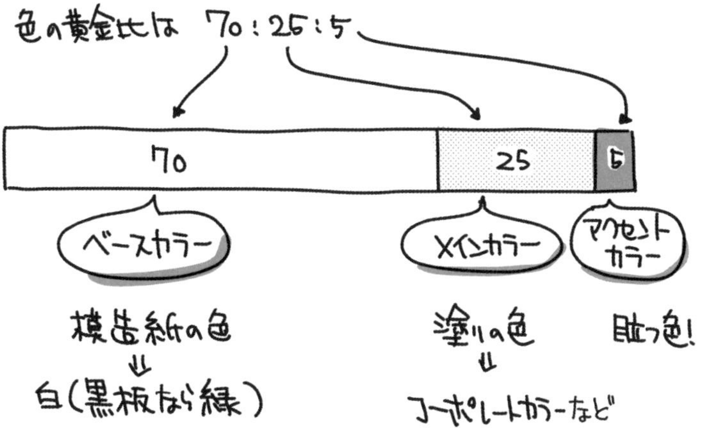

# Chapter 3

## 話をリアルタイムで描く「グラレコ」の基本

# Lesson 1
# 基本①「聞く・まとめる・描く」

## Tips 1　グラレコは「聞く・まとめる・描く」の繰り返し

キャラクターやアイコンは描けるようになり、実際にいざグラレコしようとしたときに、どのように描き進めればいいか悩むでしょう。そこで、グラレコの基本的な流れを紹介します。

大きな流れとしては、「聞く（聴く）→まとめる→描く」の３段階です。具体的には話を「聞く（インプット）」、そして聞いた内容をいったん要約して「まとめる」、そしてグラフィックとして「描く（アウトプット）」というプロセスで進めます。

基本的には、この「聞く・まとめる・描く」の繰り返しです。

### 聞く→まとめる→描く

## Tips 2 「聞く」ときに大切にしたいこと

グラレコで、最も大事なプロセスは「情報のインプット」です。ここをおろそかにすると、グラレコの仕上がりが悪くなってしまいます。

まず大事なのは「聞く（聴く）」ことです。耳と、十の目、心で、と「聴」と書く漢字のごとく、さまざまな角度から聞くことです。好意、関心、集中、謙虚、俯瞰の５つの心で聴きます。

**・好意の心**

好意の心とは、話を否定的に聞くのではなく、好意を持って聞くことです。脳は、快か不快を意味づけして情報を処理します。不快な情報は排除され、頭に入ってきづらくなります。頭に入ってこないと、そのあとの工程でうまく処理できません。話す人や話の内容にまず好意を持つことから始めましょう。

**・関心の心**

関心の心とは、好意の心に近い心です。

好意的関心を寄せて話を聞きます。「この話はどういったことなのだろう」と興味を持ち、「その言葉の意味するところはなにか」と考えながら聞きます。「つまりどういうことをいっているのだろう」と要点を聞いていきます。

**・集中の心**

集中の心とは、文字通り話を集中して聞くことです。

いいかげんに聞いていると話はどうしても頭に入ってこないので、話に真摯《しんし》に向き合います。集中して聞くことによって、話の内容がより頭に入ってきますので、話は集中して聞きましょう。

**・謙虚な心**

謙虚な心とは、素直な心で聞くことを意味します。

何事も邪《よこしま》な心や否定的な態度で聞いていると、話を正しく捉えることができません。ありのままで聞くことによってより話の本質を捉えやすくなります。

**・俯瞰の心**

俯瞰の心とは、物事をなるべく大きく広く全体的に捉えるように聞くことです。視野がせまくなると、どうしてもその単語単語に集中してしまいます。すると、その言葉の意味でしか物事を考えられなくなってしまいます。物事を俯瞰的に広い視野で捉えることによって全体の流れがつかみやすくなります。

ここで紹介した５つの心を意識しながら話を聞くようにしましょう。

## 聞く方法

# Tips 3 聞くときにはメモをとろう

慣れないうちは聞いたことをすぐ忘れてしまうこともあるかもしれません。そこでメモを使うことをおすすめします。

メモはどんなものでもいいのですが、私はふせんを使っています。ふせんがない場合には、コピー用紙などを模造紙の脇に貼ってメモしていくこともあります。

また、ホワイトボードを使うときにはホワイトボードマーカーでホワイトボードに直接書くこともあります。このとき、消えない油性ペンなどでホワイトボードに書くことのないように気をつけましょう。実際のグラレコの現場では、頭がテンパってしまっているので、ついついペンを変えるのを忘れてしまうことがよくあります。慣れないうちは紙に描くのおすすめです。

## メモしながらグラレコ

Tips 4
## 聞いたことをまとめる

グラレコでは、10聞いたことを10書くことは現実的に難しいです。そこで聞いたことを「まとめる＝要約」をしていきます。だいたい「3つ聞いたら1つぐらいにまとめる」ぐらいのイメージでいいかもしれません。

まとめるときは、聞いたことを「つまりこれってどういうことだっけ？」と俯瞰的に捉え解釈していきます。そこで考えた「つまりこういうことだよね」というエッセンスをイラストに描いていくのです。

慣れないうちは聞いた内容のうち、これだと思ったキーワードをピックアップして描いていきます。キーワードのみをピックアップしても実際に描くときになれば、キーワード周辺の話を思い出せるものなので、まずはキーワードのピックアップにチャレンジするのがおすすめです。

私がキーワードをピックアップするときには、「誰のためにグラレコを描くのか？」を最初に考えます。いつも私はおもに参加者のために描く気持ちで聞いていますので、参加者が聞きたいと思う内容や、持って帰りたいと思う内容を想像し、それに関するキーワードを抜き出すようにしています。

また参加者が感心の声を上げたところや盛り上がった場面は、参加者の心に刺さったところなので、とくにていねいに聞いています。

まとめ方については、場によってさまざまであり、あまりまとめることがないこともあります。たとえば勉強会やセミナーで、参加者が持って帰りたい内容がたくさんある場合には、あまりまとめず、なるべく正確に記録することを心がけます。

そのときには絵と文字の割合としては、文字の割合が多くなっていきます。無理に絵に変換しようと思わずに、その場その場でいま必要なものはなんなのかを考えることが重要です。

　ですので、グラレコのやり方に一見逆行するようですが、絵を描くことに無理にこだわらずに、文字で描いても大丈夫です。文字もグラフィックの１つだといえます。もっというと「文字だけでもいい」というような自由な心で書けばいいでしょう。

## まとかた

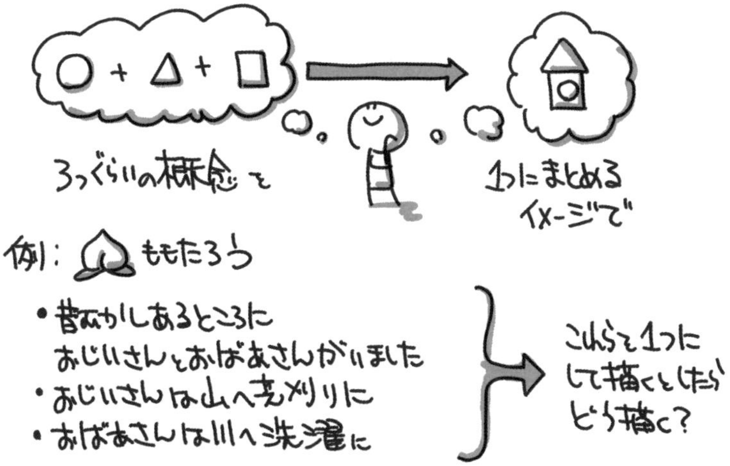

## Tips 5 注意深く聞きたいキーワード

グラレコをするときに、なにを聞くべきか、なにを描くべきかわからない、と悩む方は多いと思います。そこで少し視点を変えて、「聞いて描く」というレコーダーの立場ではなく、逆に自分が「話す」立場になったら、どのように話をするかを考えてみましょう。

「シンプルに自分の思いを相手に伝えたい」「相手にもっとよくわかってほしい」「話題を変えたい」などと考えたときに、あなた自身はどのような言葉を使いますか？

相手に強く伝えたい内容があるときに、私たちは特徴的なキーワードで相手に伝えようとします。それらのキーワードを意識して話を聞けば、話者（登壇者）が本当に相手に伝えたいことが見えてきます。

### 聴くときのキラーワード

# Tips 6 相手に「伝えたい」ときのキーワード

相手に伝えたいことがあるときにはあなたはどう話しますか。相手の目線に立って、なにかにたとえてわかりやすく話してみたり、別の言葉で表現してみたり、まとめつつ話したりするのではないでしょうか。そういったときにはどういった言葉を使いますか？

エピソードや事例、比喩（たとえ）で説明するときには、「たとえば」という接続詞で話を進めていきます。また別の言葉で言いかえるときには、「言いかえると」という言葉を使います。要約して伝えたいときには、「つまり」や「要するに」といったまとめの言葉を使っていきます。

グラレコしているときに、こうしたキーワードが出てきたときには、ふだん以上に注意を払い、それに続く言葉を拾って描きましょう。

## 伝えたい言葉

## Tips 7 話題を「変えたい」ときのキーワード

別の話題に転換したいときには、どのような言葉を使うでしょうか。たとえば、「それでは」「つぎは」「ところで」があります。

こうした言葉が出てきたときには、新しいトピックにつながっていく可能性があるので、どのように話題が変わるかを考えながら聞いていきます。話すトピックがすぐにわからないことが多いので、キーワードは少し離れたところに描いていきます。

ただし、話題が転換したとしても、また前の話に戻ることがあります。こうした場面では、前のトピックの余白のところにキーワードを書いていきます。

よほど話し慣れている人でない限りは、理路整然と論理的に話をすることはほとんどないので、それに関連するところにキーワードを追加できるように余白をあけて描いていきましょう。

### 話題転換の言葉

# Tips 8 「まとめ」を表すキーワード

1つのトピックのまとめや、全体のまとめをするときによく使われる言葉があります。まとめの言葉を拾っていくと、グラレコのまとまりがよくなります。

まとめのキーワードには、「まとめると」「結論は」「要するに」「つまり」などがあります。これらの言葉は、伝えたいことで使われるキーワードと重なるものもありますが、まとめの言葉は話者が伝えたかったことので、漏らさずに拾っていきましょう。

まとめのキーワードを聞き逃すとたいへんだと思うかもしれませんが、まとめの言葉は、それまでの話で出てきたキーワードの繰り返しが多いものです。あまり気負わずに、繰り返し出てくる言葉を意識して聞けば問題ありません。

## まとめの言葉

## Tips 9 資料ばかりを見ずに登壇者の話も聞こう

グラレコをするときに、手元に資料があるとついついその資料をベースに描きたくなります。実際に講演するときには、会場の雰囲気や反応で話を変える人が多く、事前の配付資料通りに話が展開されるとは限りません。資料だけを頼りに描いていくと、登壇者が話した内容とは異なったグラレコになってしまう恐れがあります。レコーダー自身は事前配付資料に集中してしまっているため、資料とは違う内容だと気づかずに、グラレコしてしまうこともあるのです。

また講演の最中に資料だけを見ながら描いていると、登壇者にきちんと話を聞いていないように思われ、あとでクレームになってしまうこともあります。

「誰のために描くグラレコか？」をつねに考え、いまそこで聞いた話の内容を描くことに集中しましょう。レコーダーとしての自分中心目線ではなく、主催者・参加者・登壇者それぞれの視点を持って描いていきましょう。

### 資料ばかり見ない

# Tips 10 イメージに合うイラストを描く

ここまで紹介した方法で、聞いた話をまとめたり、キーワードをピックアップしたりしたら、いよいよ描いていきます。ポイントは、イメージに合うイラストを選んで描くことです。最初のうちは、なかなか難しいかもしれませんが、描くバリエーションが増えていけば、イメージにぴったりの絵を描けるようになります。

絵は１つひとつバラバラに描いていくのではなく、イメージに寄せて描くことがポイントになります。

たとえば、日本昔話の「桃太郎」で考えてみましょう。①昔々おじいさんとおばあさんがいました。②おじいさんは山へ芝刈りに行きました。③おばあさんは川に洗濯に行きました。これら①②③の話があったときに、いつの話なのかをまとめて描きます。

つまり、①昔々の情景に、②おじいさんが山へ芝刈りに行く様子、③おばあさんが川へ洗濯に行く様子への３つを１つの絵にまとめて描きます。このように、舞台を同じ要素をそれぞれ描いていきます。

## 描き方

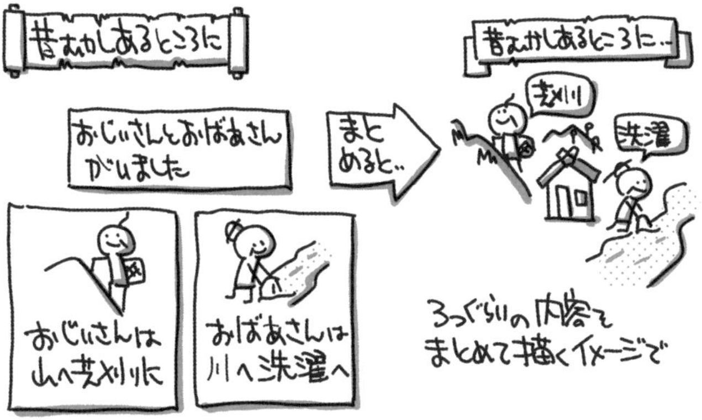

Tips 11

# 描くときはブロックを意識する

描くときには、同じような要素の話題や内容は近くに配置します。

内容や話題が変わったときには、ある程度、間隔をあけて描きます。大きく話題が変わったときには、なるべく離して描くようにします。そしてある程度描けて情報がそろってきたら、だいたいそのまとまり（ブロック）のタイトルをつけられるようになるので、それを描いていきます。サブタイトルになります。

このときになるべく要素間は間隔をあけて描きます。最初のうちは空白があると不安になってしまうものですが、余白をあけておくと、あとで似通った要素が出てきたときに描きやすくなったり、囲みやすくなったりします。慣れないうちはあけすぎかなと思うぐらいがちょうどいいかもしれません。

### 描く

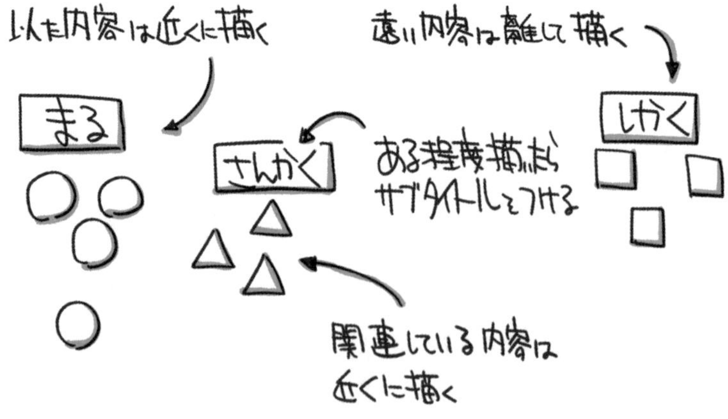

# Tips 12 自分の描くペースを把握しよう

グラレコをするときに、どのくらいのペースで描いたらいいのか、どのように紙面を埋めていけばいいのか、慣れないうちは見当がつかないでしょう。実際に自分がグラレコをするときに、模造紙１枚あたり何分で描けるかを把握しておきましょう。

１枚あたり１時間で描くスピードなら、開始後30分経過した時点で、半分程度描けているかが進行の目安になります。この時点で、余白が多くなっていた場合、描く量が少なかったことになります。文字を少し大きめに描くことや、行間を少しあける、もしくは空白を活用するなどを意識すれば残りの30分で調整できます。

逆に、30分経過した時点で余白が少なかった場合には、文字を詰めて描いたり、拾う言葉をより厳選したりしましょう。

まずは自分の描くペースをつかむことからはじめましょう。

## 描くペース

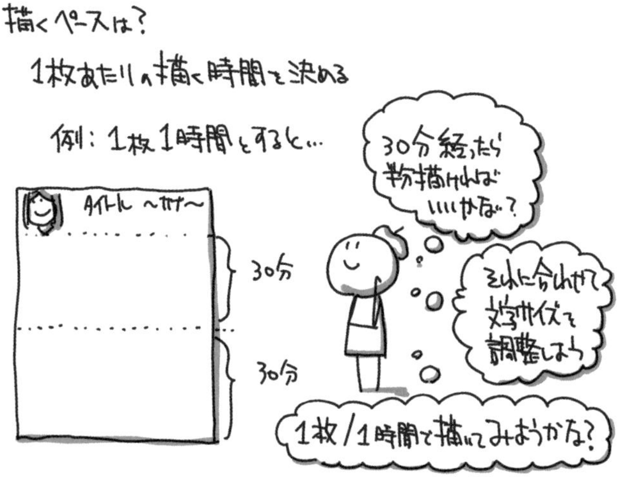

# Lesson 2
# 基本②「囲む・つなぐ」

Tips 1

# 描いた要素を「囲む」「つなぐ」

ここまで、要素の描き方を紹介しました。つぎに描き出した要素を同じようなグループでまとめる「囲む」、最後にそれぞれのグループの関係性を「つなぐ」といったプロセスで描いていきます。

「囲む」「つなぐ」についてくわしく紹介します。

## きほんのき2

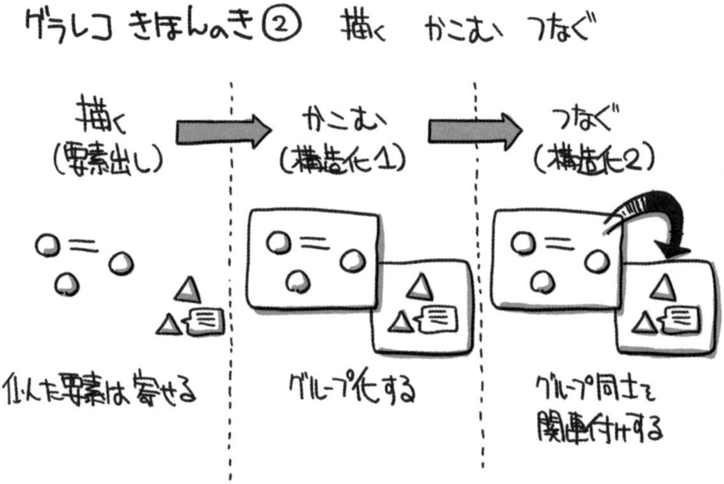

Tips 2

# 内容・要素を囲む

内容・要素が描けたら、サブタイトルを中心として似通った要素を囲んでいきます。囲み方にはいろいろな形がありますが、先に学んだフキダシの手法が活かせるかもしれません。たとえば基本的に直線で囲み、強調したいときにはワクワクやポジティブな感情を表すような雲型で囲みます。さらに強調したいときにはギザギザのびっくりや怒りを表すような線にすると、より視線を集められます。

グループ同士が近くなりすぎたときには、無理に境目をつくらずに裏に隠れるような表現しても見やすくなります。

また要素と同じぐらいの大きさでサブタイトルを描いてしまった場合には、サブタイトルの周りに色を塗るなどして、ほかとは違うように目立たせるとより情報が見やすくなります。

## 囲む

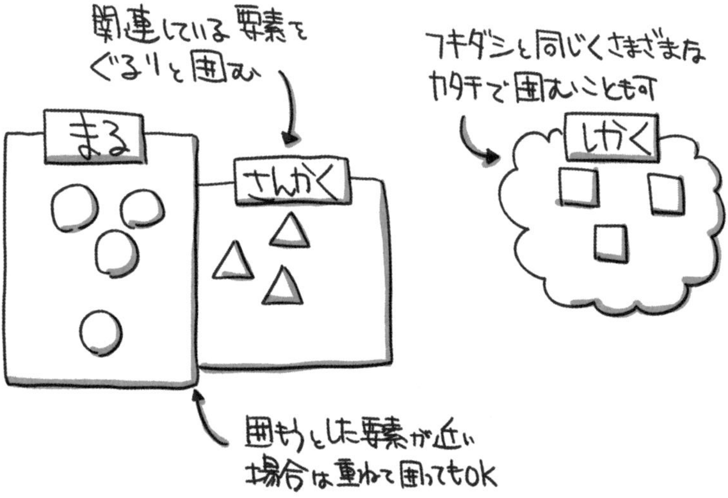

Tips 3

# グループをつなぐ

要素を囲んだら、それぞれの要素を矢印でつなげます。描いたグラレコの「ストーリー（話の流れ）」を説明するときに違和感がないようにつなげていきます。

話が理路整然としていれば、その流れを素直につないでいけばいいでしょう。話を聞いた順番やグラレコをした順番に要素をつなげなくてもかまいません。話の内容が前後してつながりが見えにくいときには自分が理解した流れでつないでいきましょう。

慣れてきたら、グラレコを見た相手が理解しやすいように描くようにしましょう。矢印は、どのようにグラレコを読んでほしいのかを示す道順標識のようなものです。つなぎ方がいいかげんだと、見た人は話の流れがつかめずに理解しづらくなってしまうので、ストーリーとして語れるようにつないでいきます。またつないだあとに、囲みと矢印に影をつけると、立体的に表現でき、全体的に非常にまとまったきれいなグラレコになります。

## つなぐ

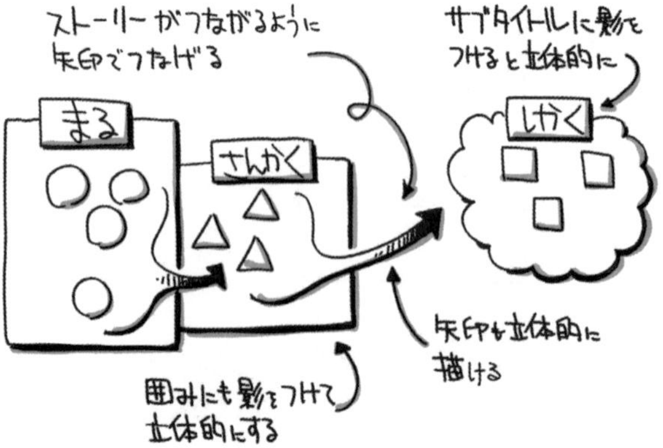

# Lesson 3
# レイアウトの基本

Tips 1

# グラレコのレイアウト

人の視線は、左上から順に右下に向けて「Z」に流れます（縦書きの書類であれば、右上から左下へと「N」に流れます）。グラレコは横書きが多いので、左上から右下に向かって「Z」のような流れで描くのが基本です。

この視線の流れをふまえて、「どのような内容なのか」を示すタイトル、つぎに「誰が話したか」という似顔絵、「いつ、どこ」の日時や場所も描いておきます。これらを紙の上部（ヘッダー）に描きましょう。そこから下に「本文」を描きます。

もちろん、描き方に決まったルールはありませんが、まずは基本の型を学んで慣れていきましょう。そのうえで、グラレコする内容や自分の個性を活かすようにアレンジしていきます。その先に「あなたならではのオリジナル」があり、個性的なグラレコになっていきます。

次ページからどのように描いていくかを見ていきましょう。

## 全体レイアウト

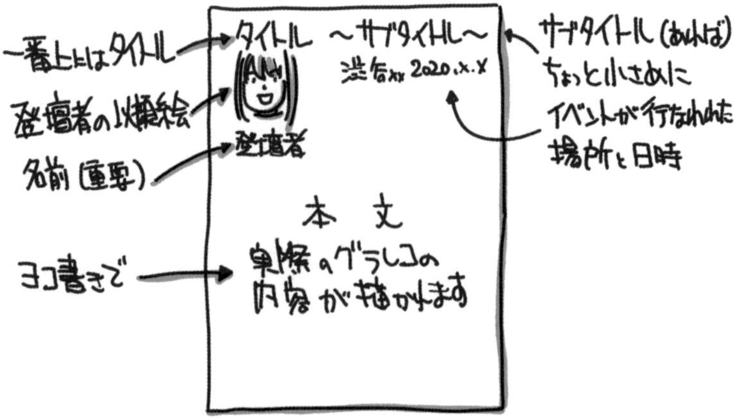

Tips 2

# タイトルを描こう

タイトルは、模造紙のいちばん上（ヘッダー）に描きます。タイトルは大切な情報なので、最初に視線がくるところに描きます。タイトル（イベント名）、サブタイトル、日時・場所を描きます。

タイトルの文字は大きく描き、サブタイトルはやや小さく描いて、どちらが大事な情報かをひと目でわかるようにします。

日時や場所を記しておくと、イベント参加者はもちろんレコーダー自身も、内容や詳細を振り返りやすくなります。イベントに参加していなかった人も、内容を知ることができます。

## タイトル部

## Tips 3 似顔絵を描こう

似顔絵はグラレコの「華」といえます。多くの絵のなかでも、とくに目立つもので多くの人の目を引くものだからです。

似顔絵を描くときには、前述したように、必要以上に気負わなくても大丈夫です（78ページ参照）。名前を必ず描くようにしましょう。所属会社や役職を描くかは、場によりますので、主催者や登壇者にあらかじめ確認しましょう。

似顔絵は、口角を上げたポジティブな表情で描きます。なるべくきれいに、カッコよく描くと、登壇者はうれしいものなので、多少「盛っちゃったかな？」くらいに描くのがちょうどいいでしょう。

### 似顔絵扉絵

## Tips 4 文字と絵のバランスはどうしたらいい？

「文字と絵をどのようなバランスで描いたらいいでしょうか？」という質問をよく受けます。文字と絵のバランスは、グラレコを見る人が「会場にいるのか／いないのか」によって変わってきます。

まず、会場にいる人に向けて描く場合、会場の人はレコーダーと同じ話を聞いているため、情報を共有していると考えていいでしょう。文字の量が少なくても、あとで会場にいる人自身が情報を補完できます。

一方、会場にいない人向けに描く場合には、同じ話を聞いていないため、なるべく文字を増やす必要があります。

たとえば勉強会の記録のように内容をより詳細に伝えたいものや、覚えておきたい知識や情報が多いものについては、文字情報は多いほうがいいです。一方、ストーリーなどを語るような講演の場合には、感情的な絵を多用していきます。

セミナーや勉強会で会場にいる人向けに描く場合は、文字と絵のバランスはだいたい同じぐらいか、文字のバランスが少し多いぐらいに書いていきます。バランスの比率については話の内容によって大きく変わってきますので、その時々に応じて描きましょう。

セミナーや勉強会で会場にいない人向けに描くときには、絵よりも文字を多くしていきます。できれば話の内容を図解して構造化すると、その場にいない人もより深く理解できます。

ストーリーなどを語る講演を会場にいる人向けに描くときには、グラフィックを多くしましょう。会場にいない人向けには絵を多く、文字もそこそこにして、絵と文字のバランスは同じぐらいでいいのかもしれません。

レコーディングする内容はさまざまであり、次ページの表がすべてにあてはまるわけではありません。描く内容によって、自分が描くときに誰がこのグラフィックレコーディングを見るのか、そしてなにを伝えたいのかをあらかじめ考えて描くようにしましょう。

## 文字と絵のバランス

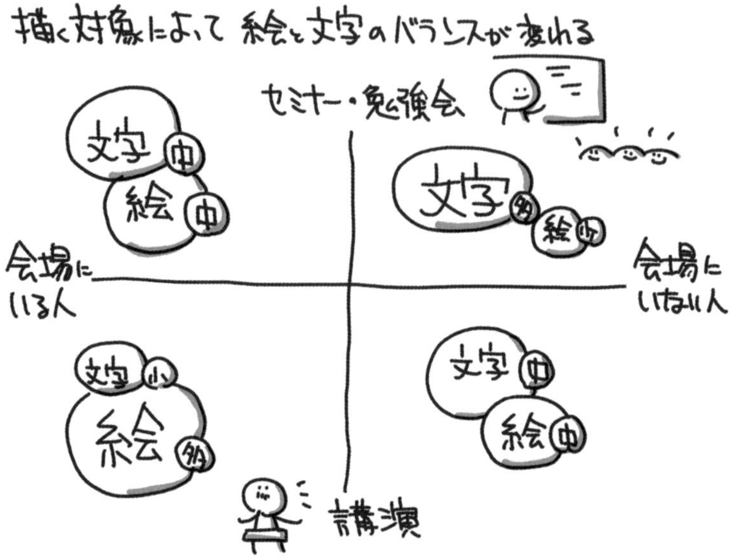

## Tips 5 最初に結論を描くコツ

文章構成の手法「PREP法」をご存じですか。これは、Point（結論）、Reason（理由）、Example（具体例）、Point（結論）の順番で構成し、結論を最初に述べてわかりやすい文章を書く方法です。

グラレコでも、上部に「結論（伝えたいメッセージ）」を描くと、話がまとまってわかりやすくレイアウトできます。

最初から結論を描くにはちょっとしたコツがあります。

グラレコの上部に似顔絵を描いたあと、その脇に広めのスペースをとっておき、最後まで空白として残しておくのです。そして、登壇者の話が終わったあとに、今回の話の内容をひと言にまとめて空白に描くのです。そうすると、結論が最初に見えることになり、全体がわかりやすく見えます。

この方法を使えば、グラレコでも結論から先に描くことができ、かんたんにわかりやすく「まとまり感」のあるグラレコが描けます。

### 似顔絵の横空け方

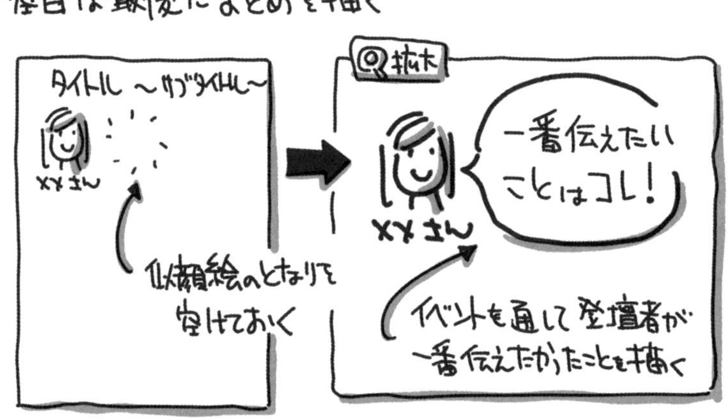

Tips 6

# レイアウトをイメージしよう

グラレコをはじめるときに、模造紙をどのように使えばいいか、悩む人は多いと思います。まずは、おおまかなレイアウトをイメージしながら、それにそって描いてみてください。

たとえば、トピックが大きく３つに分かれると事前にわかっているなら、３分割して描くことや、中央で分割して上から順番に描く場合には縦に分割して描くことなどをイメージできます。

どこで分割したらいいか、頭ではなんとなくイメージができても、実際にグラレコしていると、どこに描けばいいかわかりにくくなり、３分割のバランスが悪くなってしまうこともあります。

そうならないように、薄い鉛筆や黄色い目立たないペンなどで、ざっくりと分割する区切り線を描いておきましょう。私自身もこの方法でレイアウトを描いています。

**本文**

# Tips 7 トピックを描こう

トピックについては、トピックが決まっているときと決まっていないときで、それぞれ違う描き方をします。

トピックが決まっているときには、まずはじめにトピックを描き、それに関連する要素を描いていきます。要素を描くときには、なるべくスペースをあけて描いていきます。あとで似たような要素が出てきたときに追記したり、枠を描いたりするための余白です。スペースを恐れずに描いていきましょう。

トピックが決まっていないときには、要素をどんどん描いていきます。そのときに描いた要素に近い内容ならその近くに、話題が大きく変わったときには、離れたところに要素を描きます。そうして、ある程度を描き進めていくと、その要素の関連性が見えてきますので、そこで改めてトピックを描きます。このときにスペースが少ないと、描く場所が確保できないので、なるべく空白はあけるようにしましょう。

## トピックでわける

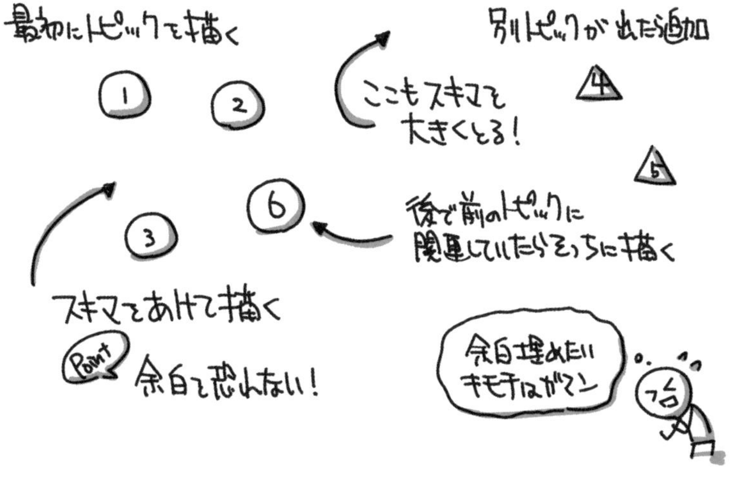

Tips 8

# トピックの追加方法

話の内容には、新しいトピックが次々に出てきます。そのトピックを、配置する３つの基本パターンを押さえましょう。

１つめは「Z型」。上から下に順番に流れていく方法で、最も基本的な方法です。

２つめは「ツリー型」。トピックの数がわかっている場合はツリーのように描く方法があります。

最後に「放射型」。どんなトピックが出てくるかわからないときはこの方法で描きましょう。

これらの３パターンはあくまで基本で、さまざまな追加方法があります。人の視線は上から下へ流れていくこととそれから大きいものに注目することを意識すればいろいろなパターンで描けます。

工夫しだいで個性的なグラレコに仕上がるので、基本の型に慣れたら自由な発想でいろいろなパターンにチャレンジしてみてください。

## トピック追加順

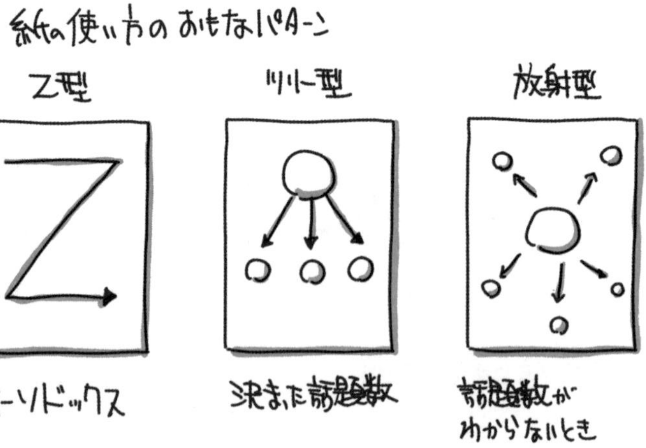

# Tips 9 オーソドックスな「Z型」で描いてみよう

視線の流れに合わせて、左上から右下へ「Z型」に流れるように描いていきます。

この「Z」の描き方は、講演などで話の順番に逐次記録していく場合などに最も適しています。とくに人のストーリーなど時間の流れが決まっている内容の相性のよさは抜群です。

また縦に分割して上から下へ、左から右へ描く方法もあります。これは「逆N型」ともいえるかもしれませんが、視線の流れの基本は変わりません。縦書きの場合は、右から左へ「N」の形に流れていきます。

## オーソドックスなZ型

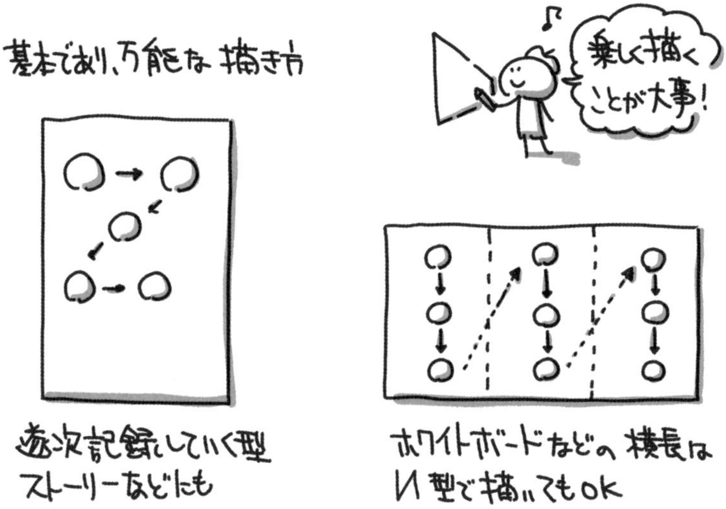

# Tips 10 話題の数が決まっていれば「ツリー型」

事前に話す内容と話題の数が決まっていて、あらかじめ話す内容が推測できる場合には、「ツリー型」がおすすめです。

事前にわからなくても、登壇者から「いまから大事なことを３つお話しします」といったワードが出てきたときには、「これは３つに分割できるな」とイメージし、おおまかなレイアウトを設計していきます。

基本的な描き方としては、導入部分があり、そこから分割されたトピックを描き、最後にまとめになるように描くときれいにまとまります。

注意したいのは、「３つ」という言葉を鵜呑みにしないことです。「３つ」といったのに、２つしか出てこないことや、反対に４つめ、５つめが出てくることもよくあります。そのときには余白をうまく使って埋めていきましょう。そうしたトラブルに対応するためにも、なるべくトピック間に空白をとって描きましょう。

## ツリー型

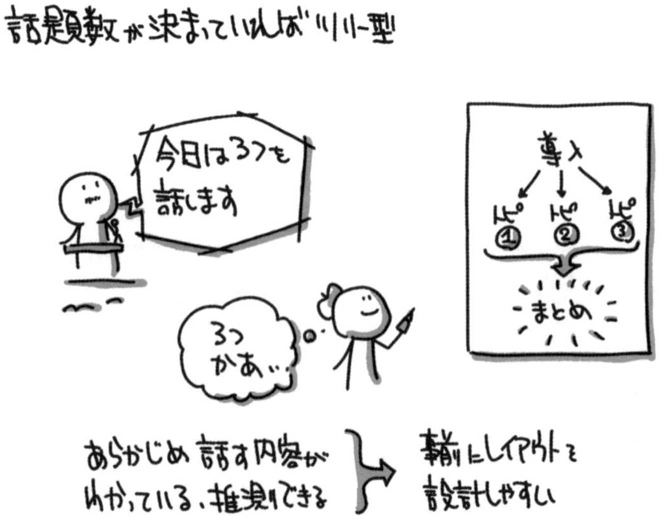

Tips 11

# 話題の中身がわからないときは「放射型」

とくに話題が決まっていなくてなにを話すかわからないときには、「放射型」がおすすめです。フリーディスカッションや会議など、あるトピックに対していろいろなアイデアや意見が出るものをグラレコする場合に非常に有効です。

その場合、メイントピックを真ん中に描いてそこから新しいトピックが出るたびに放射状に散らして描いていきます。

たとえば会議なら、放射状にどんどん描いていき、最終的に決まったトピックをアクセントカラーで強調すると、どういった話題が出てなにに決まったかというのがひと目でわかります。もし時系列を表現したい場合には時計回りに描くなど工夫してもいいかもしれません。

## 放射型

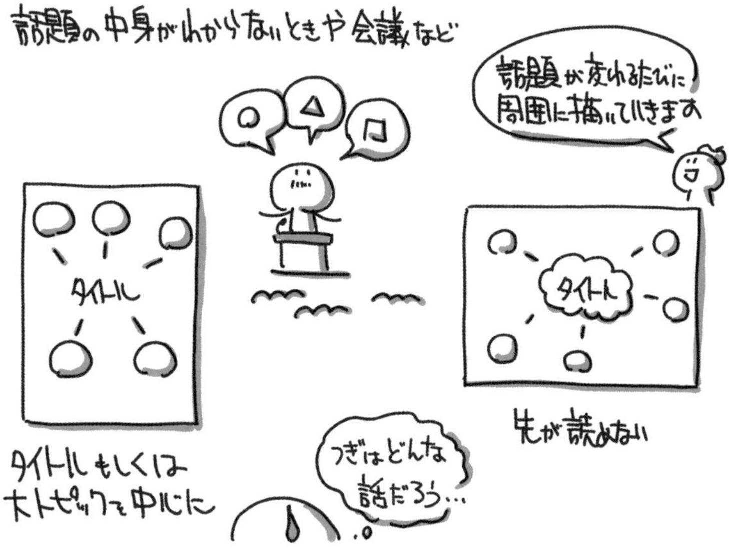

## Tips 12 パネルディスカッションは似顔絵を並べて描く

グラレコをするときには登壇者が複数いることもあります。パネルディスカッションの場合は、３人以上が話します。

パネルディスカッションのグラレコは、発言の内容を描き分けることになるので、一見難しそうに感じます。しかし、心配無用です。コツさえつかんでしまえば、多人数が話すような場のグラレコもそれほど難しくありません。

まず似顔絵を上部に描きます。そして、発言の内容の描き方は、大きく２つの方法があります。「誰が」発言したか発言者を中心に描く方法と、「なにを」発言したかを中心に描く方法です。

そのイベントの性質によって、どちらが大事か見極めて描き分けていきましょう。

### パネルディスカッション

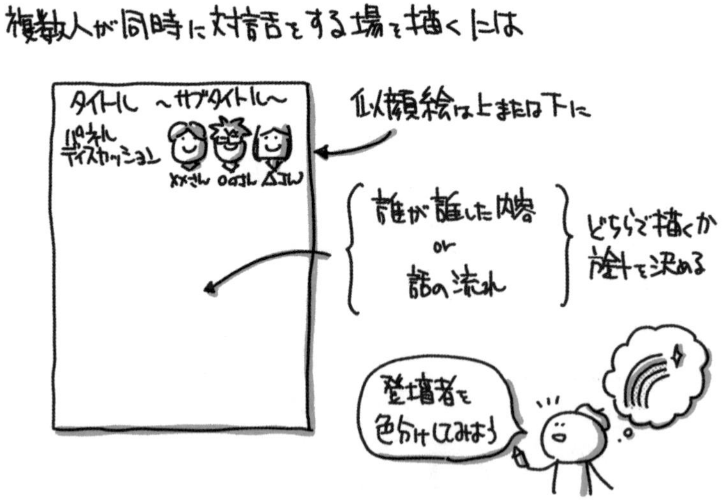

Tips 13

# 発言者を中心に描く

発言者中心に描く方法では、似顔絵を描いてそこに発言内容をフキダシで描いていきます。たとえば、チャットのように左右に似顔絵を毎回描いて、フキダシで発言を描く方法があります。

この方法にはデメリットがあります。発言のたびに似顔絵を描くことになるため、非常に時間と手間がかかってしまうのです。似顔絵を描くことに集中しすぎると、肝心の話の内容を聞き漏らす可能性があります。時間や余裕があるときにこの方法を使っていきましょう。

似顔絵を描く手間を省く方法があります。発言者の発言した内容を、あらかじめ、縦または横に仕切り線を描いて、線で分割したなかに発言者の発言内容を描いていくのです。

ほかには、発言者の内容を色分けして描く方法もおすすめです。似顔絵を描くときに、各登壇者の似顔絵の色をあらかじめ決めておき、その色で発言内容を描きます。

ただし、毎回文字の色を変えるのはたいへんです。うっかり別の色で描いてしまうと、別の人の発言に見えてしまうので注意しましょう。色選択に気をとられると、肝心の話を聞き逃してしまうので、慣れないうちは使わないほうがいいかもしれません。

もう１つの方法は、グラレコ中は文字をすべて黒で書いておき、あとで色を描く方法です。黒１色で描き進めていくと、話を聞くことに集中しやすくなります。大事なのは、色鮮やかに描くことよりも、正しくキーワードを拾うことですので、要点を見極めていきましょう。

あとで色づけする場合は、黒い文字の上にアンダーラインを登壇者の色で引く方法、フキダシの影にそれぞれの色をつける方法があります。

この方法には、誰が話したかを忘れてしまうという問題があります。

忘れないうちに色を塗るのがいちばんですが、色を塗る時間はなかなかとれません。そこで、誰の話かわかるように目印をつけておきます。文字の周りに囲む線を、直線や点線、波線などあとでわかるようにしておきましょう。

ここで紹介した手法を駆使しつつ、登壇者の発言から大事なキーワードをしっかりと拾っていきましょう。

## 複数の発言者がいるときの描き方

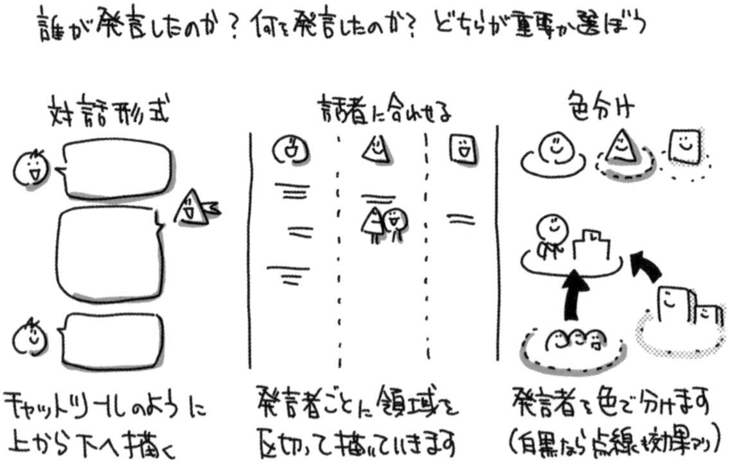

# Tips 14 質疑応答を描くコツ

多くのイベントでは質疑応答が行なわれます。質問には、参加者の「知りたいこと」が詰まっていますので、ぜひ描きましょう。

質疑応答については、質問者と回答者をフキダシで描きます。ポイントは質問者の似顔絵を描くことです。この似顔絵は、シンプルなもので大丈夫です。登壇者（回答者）の似顔絵は、タイトルの近くなどほかのところで描いてあるはずなので、無理に描かなくてかまいません。

内容については、フキダシの線で描き分けます。たとえば、質問は直線で描き、回答は点線で描くといった方法です。

回答者が複数人いる場合には、誰が回答をしたかわかるように、回答者ごとに色分けをします。あらかじめ回答者の色をそれぞれ決めておいて、言葉とフキダシを同じ色で描きましょう。描いている途中に色を変えることが難しい場合は、最初に黒でフキダシを描いてから、あとで文字に回答者の色でアンダーライン、回答者の色でフキダシの影を描きます。

## 質疑応答を書く

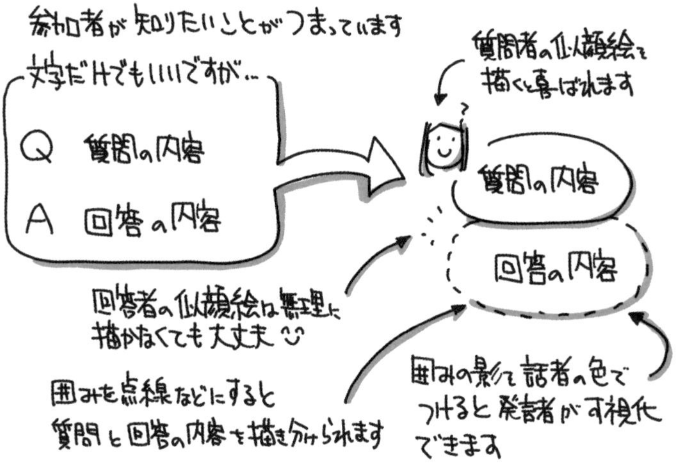

# Lesson 4
# 仕上げる

## Tips 1 仕上げには「内容の仕上げ」と「見た目の仕上げ」がある

グラレコの仕上げには、「内容の仕上げ」と「見た目の仕上げ」があります。

「内容の仕上げ」は、登壇者の話をいったん完成させることです。描きかけで主催者に回収されたり運ばれたりすると、内容面で未完成の状態で終わってしまうことになります。まずは、タイトル、トピックと要点、結論などのコンテンツをひと通り描き終えましょう。

「見た目の仕上げ」は、全体をより見やすく伝わりやすく整えて完成させることです。たとえば、影をつける、色を塗る、余白を調整するなどの作業です。これらの作業も話を聞きながら進めていき、仕上げはあくまで調整ぐらいのつもりで進めるのがいいでしょう。

優先すべきはもちろん中身の仕上げです。事前の打ち合わせで、「いつまで描けるのか？」「いつまでに完成させる必要があるのか？」を確認したうえで、グラレコ当日のスケジュールを確認しましょう。

グラレコしていると、きれいに仕上げたくなるものです。もちろんきれいに仕上げるのはいいことですが、参加者のためにグラレコを描く場合、講演が終わってもいつまでも模造紙の前で描き続けるのも考えものです。とくに講演が終わった休憩時間に参加者がグラレコを見に来るときにも、せっかく描いたグラレコを見てもらえません。

「なんのためにグラレコを書くのか？」という目的をいま一度考えてみて、グラレコを見にきてくれた人に、どんな情報を提供すると喜んでもらえるかを考え、ある程度のところで見切りをつけることも大事です。

私の場合は、参加者が見に来てくれたときには、描くことをいったん中断し、話の内容を解説しながら軽く色塗り程度にとどめています。そうすると、対話しながら仕上げていくことができます。

## いつまでも描かない

Tips 2

# 「あけすぎた余白」を調整する

余白のないように描きこむと、描いた本人は「グラレコをした気」になりますが、読む人からすると「ごちゃごちゃして読みづらい」ものです。

そこで、余白を意識して描いていたら、終わったときに微妙な余白ができてしまうケースや、最後まで描ききれずに余白が残ってしまうケースがあります。余白を残すことに抵抗がある人は、こうしたケースを心配しているのかもしれません。

余白が大きすぎたときには、その余白を埋めて調整する方法があります。たとえば、「会場の様子を描く」「話題と関係のある絵を描く」「日付や自分のサインを描く」「枠で囲む」などの方法です。

この方法であれば、できてしまった余白を自然に埋められます。

## 微妙な余白が残ったら

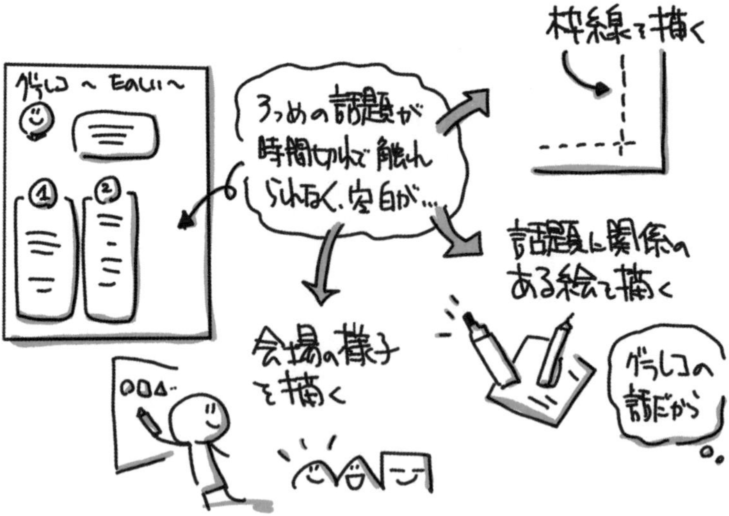

## Tips 3 余白に「会場の様子」を描く

余白に会場の様子を描いておくと、あとで見返したときに思い出しやすくなります。ここでは、代表的な３パターンを紹介しましょう。

**①イベントのスタッフの様子や似顔絵を描く**

スタッフの様子や似顔絵を描くと、「裏方」にもスポットが当てられます。さらには、「みんなで作り上げたイベント感」が出て、とくにスタッフに喜ばれます。私は、常日頃からスタッフあってのイベントだと思っています。「誰がこのイベントに関わって、どうやってこのイベントを開催できたのか」といったスタッフの働きも大切にしていきたいものです。

**②会場の全体図を描く**

会場の全体図を描くと、あとで思い返しやすくなるのでおすすめです。写実的に描くと、とくに思い返しやすくなります。思いきりデフォルメして描いても、イメージの足がかりになりますので、自分の描きやすい方法で描きましょう。

絵が得意な人ならぜひ写実的な表現にチャレンジしてほしいです。ただし、誰の視点から見た会場の様子なのかを、つねに意識しないといけません。これを意識せずに、自分中心に描いてしまうと、参加者が後から見たときに、「こんな会場だったっけ？」と思い返すことができず、かえって振り返りの妨げになってしまうこともありますので要注意です。

会場のイラストを描くときには、「どこのどんな会場か」も文字で補足するのもおすすめです。「グラレコは、絵で表現するもの」ととらわれずに、文字と絵のバランスをうまくとって描きましょう。

### ③参加者のコメントを入れる

参加者のコメントも、登壇者や主催者などの関係者にたいへん喜ばれます。これは休み時間などに参加者がグラレコの前に来て鑑賞しているときに、参加者にセッションの感想などを聞いて、それを似顔絵つきで描きましょう。そうすると、参加者もイベントの一部分であることが可視化され、みんなで作り上げたイメージとなります。

**余白に会場の様子を描く**

# Tips 4 余白に関連する絵を描くには

難しく考えず、テーマを自分なりに解釈して連想した絵を描いて余白を埋める方法もあります。

たとえば、SDGsなら、地球を描いてそのうえにいろいろな人を描く方法があります。多様な人を表現するときのおすすめの方法としては、人の顔の形を「○・△・□」で描く表現です。

ほかにも、チームビルディングなら、みんなが一緒になにかを作っている様子を描くこともできますし、人材育成なら人が、成長する様子を描くこともできます。

表現はテーマによってたくさんあります。どんな様子を描いたら伝わるかを考え、ぜひ自分なりに表現してみてください。

## 余白を関連画像で

## Tips 5　余白を枠で囲んでみよう

あきすぎた余白のバランスを調整するには、枠を描いて埋める方法もおすすめです。枠を描く方法はいくつかありますが、模造紙の全体を囲む方法が最もオーソドックスで描きやすいと思います。

たとえば、下が大きくあいたときには、枠を空白の中間ぐらいに描けば、全体で埋まった感じになります。下を大きく余白をあけて枠を描くと、あえて余白を無視しているように見せることもできます。

枠線も単純に直線で描くだけでなく、たとえば点線で描いてみたり、もしくは手描き風にガタガタな線を描いてみたりします。たとえば植物などの下のような線を描いてみてもいいでしょう。色も工夫のしがいがたくさんあります。

これも実際にやってみると、効果のほどが目に見えてわかりますので、ぜひチャレンジしてみてください。

**余白を枠で**

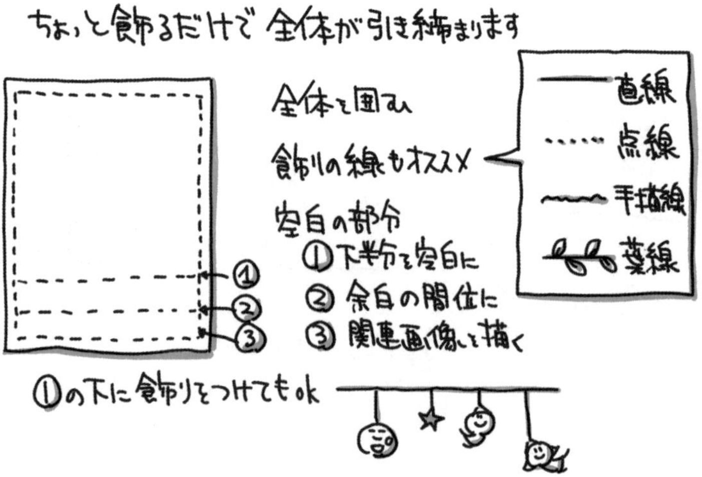

# Chapter 4

## イベント前に
## 確認しておきたいこと

# Lesson 1
# イベント前に
# 打ち合わせしておくこと

## Tips 1 イベントでのグラレコの流れを押さえる

本章では、実際にセミナーや講演会などの現場でグラレコを行なう前の準備について解説します。

主催者と打ち合わせして「イベント前」「イベント中」「イベント後」の時系列でさまざまなポイントを確認しましょう。

まず、イベント前です。主催者とやりとりして、描く目的や内容、日程や当日のスケジュール、費用面（条件面）などを事前に確認します。

そして、イベント中に描くグラレコのポイントについて確認します。これを踏まえて、登壇者と主催者、参加者それぞれのことを意識しながら描いていきます。

最後に、イベント終了後のグラレコの扱いになります。完成したグラレコの扱いやSNSのシェアなどについて確認します。

### グラレコをしてみよう

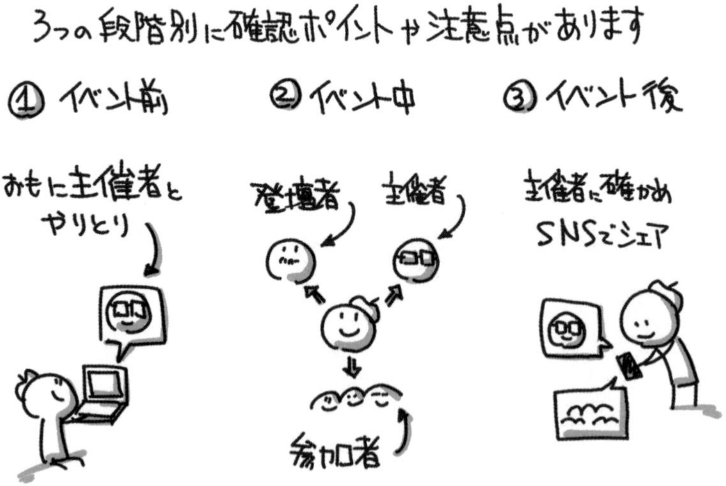

# Tips 2 「なんのためにグラレコを入れるのか」を確認しよう

イベントでグラレコするときに最も大事なことは、主催者はなんのためにグラレコを入れたいのか、目的を事前に確認することです。目的を確認しておかないと、主催者に「イメージと合わなくて期待外れだったな」と思われてしまいますし、見当違いのグラレコを描いてしまいます。

目的には、「イベントレポートで使うため」「SNSで投稿してPRに活用するため」「登壇者の話した内容を参加者がより深く理解できるようにするため」「登壇者にグラレコをプレゼントするため」などがあります。もちろん、ほかにもさまざまな目的があります。

「なんのためにグラレコを入れたいのか？」「グラレコになにを期待しているのか？」を必ず確認するようにしましょう。

## グラレコを入れる目的は？

## Tips 3 「誰のために描くのか」を確認しよう

「誰がそのグラレコを見るか？」によって、グラレコで描く内容は大きく変わってくるため、誰のために描くのかを確認しておきましょう。「描く対象に喜んでもらうには、どういったことを描けばいいのか？」をよく考えましょう。

### 誰のために描く？

### ・参加者のために描くときのポイント

参加者がそのイベントに参加した目的を考えると、答えを見つけやすいでしょう。たとえば、「有名人・著名人に会いたい」「話の内容に興味がある」「このセミナーでの学び（ノウハウ・知識・気づきなど）を持って帰りたい」「ストーリーを聞いてみたい」などが考えられます。これらを踏まえて、グラレコを描いていきます。

また、「質疑応答」もポイントになります（151ページ参照）。質疑応答は、参加者がくわしく知りたい情報が凝縮されたものです。グラレコをする際には、質疑応答の部分も漏らさずに描くようにします。

### ・主催者のために描くときのポイント

主催者としては「このイベントがいかに盛り上がったか（成功したか）」を強調してつぎの集客につなげたいことが多いので、その雰囲気が伝わるように描いていきます。

### ・登壇者やセミナー講師のために描くときのポイント

その人の経歴や実績をメインに描きます。その人が、どんな経歴なのか、どんな資格を持っているのか、どんなキャリアを歩んできていて、そして現在の肩書はなにか。その方のパーソナリティや実績についてくわしく描いていくことが求められます。登壇者が参加者を大切にする人であれば、参加者のために描くのが喜ばれることもありますので、主催者に確認するのもいいでしょう。

### ・レコーダー自身のために描くときのポイント

自分のために描くこともあるでしょう。たとえば、ノートにグラレコするような場面です。このときには、「それを見た将来の自分になにを伝えたいか？　なにを考えるか？」を考えて描いていきます。その将来が１日後（翌日）なのか、１年後なのかを考えると、グラコレ全体の文字と絵のバランスが大きく変わってきます。

１日後であれば、絵が多くて文字が少なくても、内容はもちろん、自分がそのグラレコを描いた意図や気持ちをかんたんに思い出せるでしょう。

１年後となると、自分とはいえ他人のようなものですから、そうかんたんには思い出せないものです。絵を少なめにして文字を多めにしたほうが、内容がわかりやすくなります。

具体的にどのような比率がいいのかは一概にいえません。比率よりも、他人に内容を理解してもらえるかどうかを基準に考えてみてください。

## 誰に向けてなにを描くのか

# Tips 4 「NGポイント」を確認しよう

イベントでグラレコする際に、主催者や登壇者が描いてほしいキーワードやトピックがあるか、反対に描いてはいけないキーワードがあるかを確認します。

主催者・登壇者から入れてほしいキーワードを事前に提示されることはありますが、NGのキーワードを事前に伝えられることはほとんどありません。本人もあまり認識できていないことが多いためです。

NGポイントが伝えられていなかったとしても、外に出してはいけなそうな情報や、また登壇者や主催者にネガティブな印象を与えかねない表現は避けて描きます。

登壇者が話した通りになんでも描けばいいわけではなく、「完成したグラレコがどのように使われるか、どうやって公開されるか、それを見た人がどう思うか」を考えながら描くようにしましょう。

## NGポイントを事前に確認する

# Tips 5 「事前に資料をもらえるか」を確認しよう

グラレコをする際に、これから登壇者がなにを話すのかがまったくわからない状態ではとても不安です。そこで事前に主催者に資料をもらえるかを確認します。

事前に資料を入手できれば、その内容を事前に読み込んで、どういったグラレコをするかを予習できます。そうすれば、安心して本番に臨めます。

ただし、事前に資料をもらえるのは「あれば」の話です。多忙な登壇者の事情を勘案し、資料を必要以上に要求しないようにしましょう。レコーダーの不安や責任感はわかりますが、登壇者や主催者との信頼関係を崩してしまっては元も子もないので注意してください。

資料がないときには、主催者との事前打ち合わせやイベント案内文などで内容をつかんで、予備知識を身につけておくのがいいでしょう。

## 資料の有無を確認する

# Tips 6 「いつまで描けるのか」を確認しよう

　事前打ち合わせで意外と見落としがちなのが、グラレコにかけられる時間の確認です。実際にグラレコはリアルタイムとはいえ、色塗りや飾りつけ、余白の調整などの仕上げの時間を考えると、イベントが終わったあともある程度描く時間が必要になります。

　いつまで描けるのかを確認しておかないと、仕上げの色塗りや飾り付けの半分ぐらいのところでグラレコが回収されてしまうこともあります。まだ描きかけなのに回収されてしまうことすらあります。

　講演やセミナーの終了直後に、グラレコが完成してないといけないとわかっていれば、２色でシンプルに描くなどの工夫もできます。ある程度、時間に余裕があるのであれば、カラフルに塗ったり、豪華に飾りつけしたりすることもできます。

　ただ、あくまで予定で、イベントが盛り上がると話が長くなることもありますので、時計をチェックしながら仕上げをするようにしましょう。

## いつまで描けるのか

# Lesson 2
# イベント終了後のことも確認しておく

## Tips 1 どのようにグラレコが使われるか確認しておこう

イベント終了後にグラレコがどのように使われるのかを事前に確認しておきましょう。SNSでシェアすることもあるでしょうし、メディアや社内用の報告書に掲載されるかもしれません。イベント終了後の使い方が事前にわかれば、アウトプットを意識して描けます。

たとえば、複数回にわたって開催されるシリーズもののイベントのグラレコで、次回以降のイベント広報に使いたい場合には、「このシリーズではどういったことを学べるのか」などの内容も織り交ぜて描き、見た人が次回も参加したくなるように描いていきます。

グラレコが外に出たあとはシェアされて独り歩きしてしまう可能性がありますので、ネガティブな表現や言葉をなるべく描かないようにしましょう。ネガティブな内容は見る角度を変えて、ポジティブな側面を描いていくようにします。

実際には、完成したグラレコを見て使われ方が変わることがありますので、そこまでこだわる必要はありません。状況によって対応しましょう。

### グラレコの使われ方

## Tips 2 自身のSNSでシェアしていいか確認をしよう

グラレコを描いたら、TwitterやFacebook、InstagramなどのSNSで自身の活動の実績としてシェアしたいと思う人も多いでしょう。

グラレコを公開する際には、事前に主催者に必ず確認するようにしてください。とくに企業のイベントや会議では公開NGであることも多く、確認せずに公開すると、大きなトラブルになってしまう恐れがあります。

一方で、主催者から、宣伝のために公開してほしいといわれることもあります。このあたりのことも含めて必ず事前に確認してください。「公開OK」「公開歓迎」であれば、積極的にシェアしましょう。

### シェアの扱い

# Chapter 5

# 「オンライングラレコ」
# してみよう

# Lesson 1
# 打ち合わせ準備編@オンライン

Tips 1

# オンライングラレコってなに？

オンライングラレコとは、講演やセミナーの会場で紙に直接描くのではなく、インターネット上で、グラフィックレコーディングすることです。オンライングラレコは、2020年の新型コロナウィルス感染症（COVID-19）の影響により、一気に増えました。

オンライングラレコの利点は、その場にいなくてもグラレコできることです。たとえば、ある地域で行なわれるイベントでグラレコをしたい場合、ほかの地域からのグラレコは難しいものでしたが、オンラインならどこにいてもグラレコができます。

イベントには、遠隔会議システムであるZoomがよく使われます。グラレコも同様にZoom上で行ないます。

## オンライングラレコとは

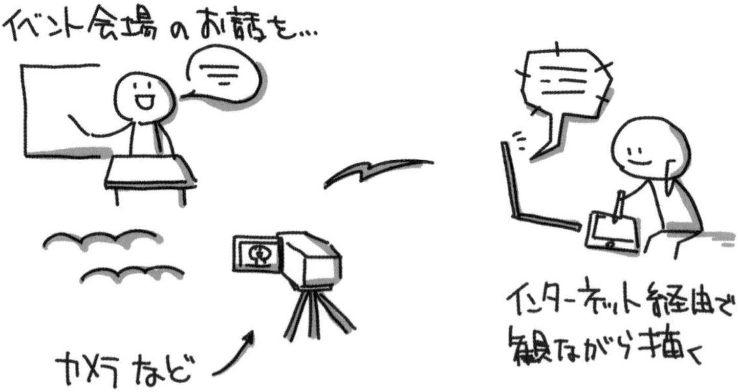

# Tips 2 事前打ち合わせで確認するべきこと

オンライングラレコの打ち合わせは、オンラインで行なうことが多いです。Zoom、Skype 、Teams、メッセンジャーなど、どのツールを使うのかは、運営者（主催者）の都合に合わせるのがいいでしょう。

打ち合わせでは、当日のプログラムの内容、描く目的や内容、グラレコを含めた進行や段取り、グラレコのシェアの方法について、イベント後にどのように使われるかなどを話します。

そのほかには、本番はどの会議ツールを使うのか、資料は事前にもらえるのかなどを確認しましょう。

なるべく多くのことを事前に確認し、あとでトラブルにならないように話し合っておきましょう。

## 事前打ち合わせ

## Tips 3 シェアやコメントが求められるかも確認する

グラレコをするときに、「描く」以外にも、さまざまな形でイベントに関わることになります。とくに、イベント途中でグラレコをシェアすることがあるのか、コメントが求められるのかについて確認しましょう。

オンライングラレコの場合、休憩時間にその時点でのグラレコを表示したいといわれることがあります。途中とはいえあまりにも「描きかけ感」が出ていると恥ずかしいものです。

シェアすることがわかっていれば、最低限の骨格を意識しながら描き進められるので、主催者に聞いておくといいでしょう。

ほかにも、コメントを求められるのかについても、事前に確認しておきましょう。イベントの終盤や最後で、「それではレコーダーの○○さん、描いたグラレコを使ってまとめてください」などと、レコーダーとしてコメントを求められることがあります。打ち合わせをしていない状態で、突然こうやって振られると相当焦るものです。

コメントが求められるとわかっていれば、頭の中で考えながらグラレコを描き進められます。このあたりも事前に相談しておきましょう。

### シェアやコメントは求められる？

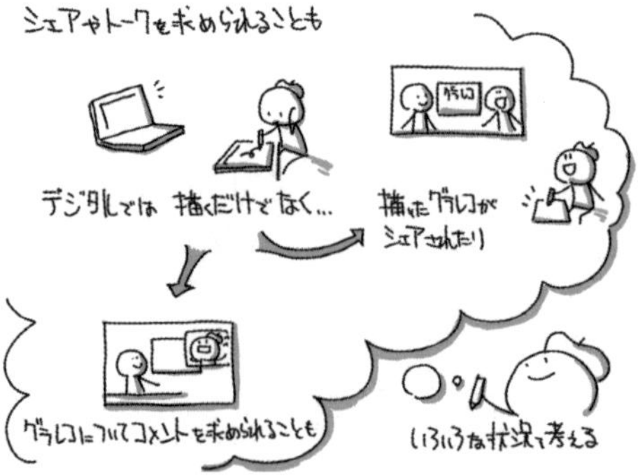

# Tips 4 「なにに描くか？」を確認する

オンライングラレコをするときには、紙に描くケースと、iPadなどのタブレット端末でデジタルに描くケースがあります。

紙に描く場合には、A4もしくはA3程度の紙に描くことが多いです。紙のサイズはオンラインではあまり関係ないので、実際には撮影したりスキャンしたりしたデータを、主催者や参加者に渡すことになります。

最近の主流は、iPadなどのタブレット端末でのデジタルグラレコです。デジタルでグラレコしたものは、紙と違って撮影せずにそのままシェアできるので便利です。

主催者に、紙とデジタルのどちらで描けばいいのか、紙ならグラレコを撮影（スキャン）して納品がいいのか、タブレット端末を用いたデジタルグラレコでいいのかを確認します。

もっとも、主催者はなにに描くかについてはくわしくないケースも多いので、レコーダー側から提案するのがおすすめです。そのときには自分が描きやすくなるように、得意な方法を提案しましょう。

## なにに描くかを確認する

## Tips 5 本番で使う会議システムと「形式」を確認する

オンラインイベント（セミナー）形式には大きく２つのパターンがあり、レコーダーとしてどのように関わっていくかも変わってきます。

１つは「web会議の形式」で、全員の顔が見えるもので、これは参加者同士が対話しながら進行するワークショップタイプに多いです。

web会議形式の場合のポイントは、レコーダーがほかの参加者に紛れてしまうため、グラレコをどのようにシェアをするかです。次項でくわしく解説します。

もう１つは「ウェビナー形式」で、画面に登壇者のみが表示され、登壇者が話す内容を参加者が聞く形式です。とくに企業が行なうセミナーで多く利用されます。

ウェビナー型式は、レコーダーが登壇者の１人として登壇するかどうかで変わってきます。登壇する場合は、web会議と同じです。登壇者として画面に表示されない場合は、描き終えたあとに、主催者にグラレコのデータを渡し、シェアしてもらうように依頼しましょう。

どのような形式で進行するかは主催者側と話し合いましょう。

### 会議システムを確認する

## Tips 6 イベント中・終了後にグラレコをシェアする

オンラインイベントでグラレコするときに悩むのは、どのように描き、イベント中もしくは終了後にシェアするかです。描いている最中や描き終えたあとのグラレコをどのように表示していくか。

イベントのメインは登壇者とその投影資料ですので、投影資料の領域にグラレコを表示できないのが一般的です。

では、描き終えたあとに、どのようにシェアをしたらいいのか、悩みは尽きません。

オンラインでグラレコするときには、その媒体が紙であれ、タブレット端末であれ、基本的には下を向いて描きます。その様子をそのまま表示した場合には、つねに下を向いてなにかを描いている姿が映ることになります。ひたすら下を向いて描いている様子は、話を聞いていないように見えてしまいます。イベント中ずっとレコーダーのつむじを見せつけ続けるわけにもいきません。そこで効率的な方法をご紹介します。

### ①静止画を更新していく方法

Zoomには退席中に静止画を表示する機能があります。この静止画表示機能を利用し、描きかけ、もしくは描き終わったグラレコを静止画として都度更新していきます。こうすれば、参加者は自分が見たいときにグラレコを参照できます。

### ②描く様子を撮影して表示する方法

実際にグラレコを描いている様子をカメラで撮影して、表示する方法です。

その方法のうち、1つはカメラで手元を移すように上に配置をし、描いている最中の様子を撮影する方法です。もう1つの方法は、iPadなどでグラレコする場合に限られますが、描いている画面をカメラ画像として録画するソフトを活用する方法です。私は使っているのは「ManyCam」というカメラを拡張するソフトと、「ApowerMirror」というiPadの画面でAirPlay経由で表示するソフトを使っています。有料ソフトですが、カメラの画像やPCのウィンドウをレイヤーとして重ね合わせることができ、自由に配置できるので使う価値があります。

### ③完全に裏方に回ってひたすら描く方法

もう１つの方法は、そもそもカメラ画像を表示しない方法です。完全に裏方に回ってひたすら描いていきます。裏方に回ったときのグラレコシェア方法は、描き終えたら主催者にデータを渡し、共有してもらう方法です。レコーダーとしては裏方に回って支えるのもいいかもしれません。

## イベント前後のグラレコシェア方法

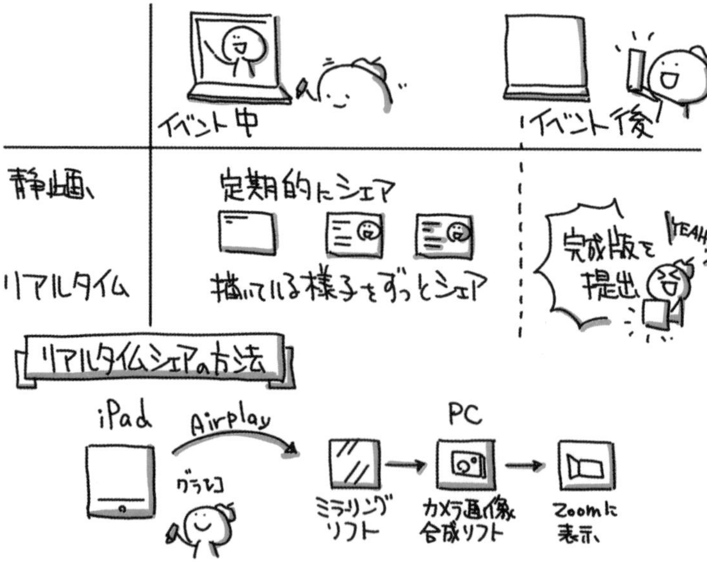

# Tips 7 ネットワーク環境を確認する

オンライングラレコでは、接続の安定した回線の確保が大事です。オンラインイベントを視聴しながら描いている途中で、回線が不安定で切れてしまってはそれ以上描けなくなってしまいます。

そこで、通信速度が速くて安定している回線を用意しましょう。自宅やオフィスで描く場合には光回線、出先で描く場合にはモバイルWi-Fiルータなどがおすすめです。

シェアオフィスや会場、カフェなどのWi-Fiを利用する場合には、事前に接続テストなどを行ない、通信に問題がないか、セキュリティに問題がないかを確認しましょう。

私も、いざ接続したら不安定な回線で何度も切れてしまった苦い経験があります。幸いモバイルルータを持っていたため、そちらに切り替えて難を逃れましたが、通信手段は複数持っていると安心です。

## ネットワークの確認

安定した通信手段を確保しよう

| | Wi-Fi | 有線 | モバイルルータ | テザリング |
|---|---|---|---|---|
| 安定性 | ○ | ◎ | ○ | ○ |
| 扱い易さ | ○ | △ | ◎ | ◎ |

# Lesson 2
# 現場編@オンライン

## Tips 1 機材を準備する

どのような機材を準備するかは、紙に描くか、iPadなどの端末に描くかで変わってきます。

紙に描く場合には、オンラインへアップロードするためのカメラ、一般的にはスマホを用います。

端末に描く場合には、ApplePencil対応のiPadや、パソコンで描く場合には液晶タブレット、スタイラスペンなどを準備します。先ほども述べたようにデジタルで描くと、グラレコを即座にアップロードできるので便利です。

デジタルグラレコをする際には、タブレット端末とペンのバッテリーが切れないように事前に充電しておいてください。なにが起こるがわからないので、モバイルバッテリーや充電器を用意するなど、備えは万全にしておきましょう。

### 機材の確認

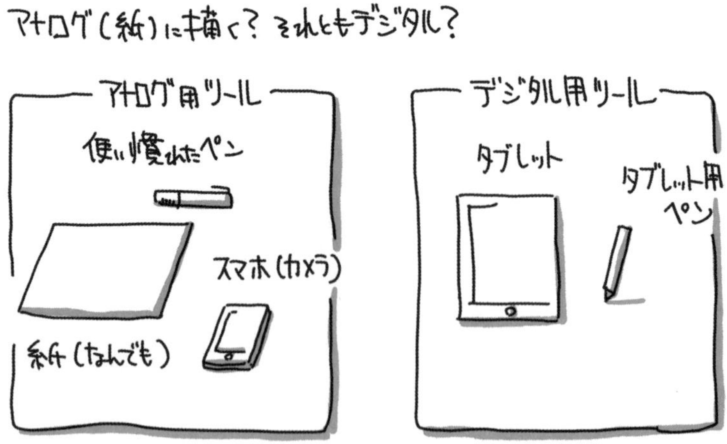

# Tips 2 データの受け渡し方法を確認する

オンラインでグラレコをするときには、主催者と本番直前の打ち合わせをしましょう。その際に、画面共有や、ファイルの共有・送信方法などを事前に確認しておくとトラブルを避けられます。

とくに画面共有は、主催者以外に許可されていない設定になっていることがよくありますので、一度は共有のテストをして、本番であわてることのないようにしましょう。メールで送るのか、チャットで送るのか、オンラインストレージを使うのか、複数の手段でテストをしておくと安心です。

データの受け渡しのトラブルは事前に確認して回避しましょう。どんなに確認してもトラブルは起こりますので、複数の手段を用意してバックアップを万全にしておくと安心できます。

## 接続確認する

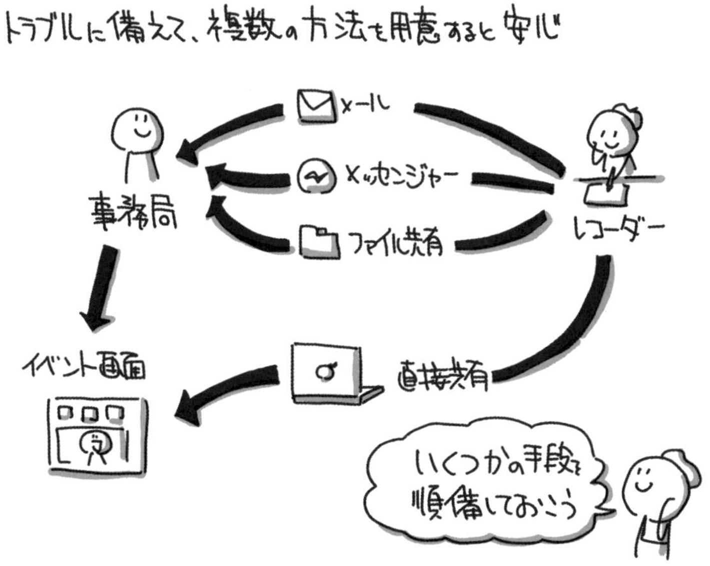

Tips 3

# デジタルで似顔絵を描くときのテクニック

iPadでのデジタルグラレコ限定のテクニックですが、似顔絵を描くときに、簡単に写真をトレースして描けます。「Procreate」などのレイヤー機能があるアプリを使えば、似顔絵が苦手な人でも驚くほど上手に似顔絵が描けます。

トレースする方法として、写真をレイヤーに貼り付け、透明度を上げます。うっすらと写真が見える状態にして、上のレイヤーでなぞっていきます。ある程度なぞったら、写真のレイヤーを非表示にします。そうすると主線だけになるので、そこから色を塗っていきます。色がわからなくなったときには、写真のレイヤーを再表示して確認します。

## 似顔絵トレース

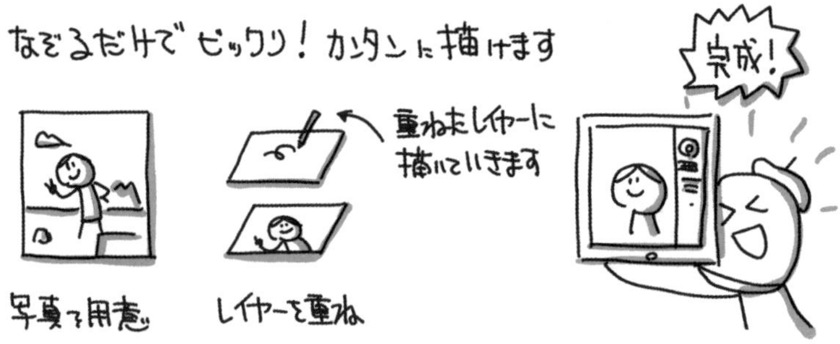

# Tips 4 メモをとりつつレイアウトを考えよう

グラレコするときには、登壇者の話を聞いて描くことに集中するため、レイアウトまでなかなか気が回らないものです。

オンライングラレコは、リアルの会場で描くことに比べると、比較的自由にスペースを取りやすいので、メモを広げて描いてみましょう。

レイアウトを意識しながら描くためのコツは、すぐに描かないことです。登壇者の話がはじまったら、すぐに描き出さずに、キーワードや印象に残った言葉をメモします。ある程度書きためたら、レイアウトを考えてグラレコをはじめるのです。

私の場合、講演時間が半分程度進んだところから描きはじめます。60分の講演の場合は30分程度経過してから、描きはじめるイメージです。

ただし、自分の描くスピードを把握しておくようにしましょう。描くことに使える時間を見誤ってしまうと、描ききれないままグラレコをシェアすることになるので、注意しましょう。

## メモを活用

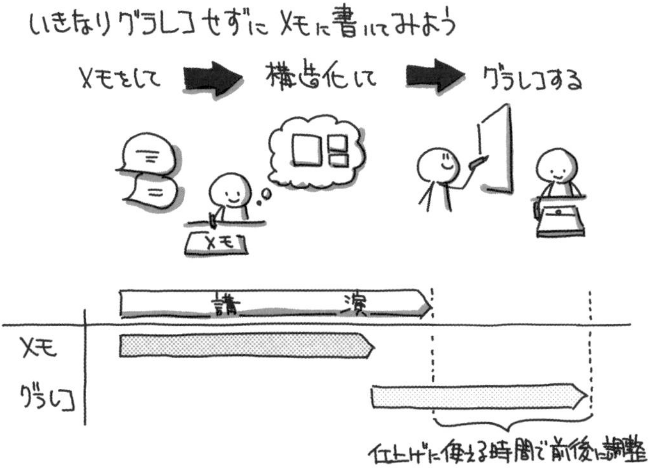

# Tips 5 シェアのタイミングを見すえて描こう

オンラインでのグラレコでは、イベントの時間が限られていて、主催者がグラレコをシェアする時間も限られています。シェアタイムにまだ描きかけで見せられないとなるともったいないです。

会場でのリアル（オフライン）イベントとは違って、登壇者や司会がレコーダーの描く様子を見て進行するのも難しいものです。オンラインイベントでグラレコする際には、完成時間をより強く意識して描く必要があります。できれば、余裕を持って早めに仕上げるくらいの余裕をもって描くようにしましょう。

描き方のポイントは、まずは主線だけは描き上げておき、話の内容を把握しておくことです。そして余裕があれば、簡単に影をつけていきます。さらに時間があれば、色数を増やして仕上げていきます。こうすれば、時間に追われることなく余裕を持って早めに仕上げられます。

## 仕上げの時間を意識しよう

# Tips 6 主線のみを描いていく

デジタルグラレコをする際には、まずは黒色で主線のみで描いていくのがおすすめです。デジタルグラレコでは、ペンが1本しかないので、その都度、ブラシ、太さ、色を変えていると時間がかかります。そこに意識が向いてしまうと、肝心の話を聞き逃してしまいます。これでは本末転倒です。大事なことは、話の内容をしっかりと捉えて描くことです。

私も、カラフルに描こうとして、色の選択やブラシを選ぶことに夢中になるうちに、話そっちのけになってしまい、本題とそれたグラレコをしたことがありました。このときの反省をもとに、いまでは話に集中して、まずは黒い線でグラレコをするようにしています。

そこで、デジタルグラレコでは、あらかじめブラシと色を決めてから終始同じ色と太さで描き、あとで色を塗ったりします。

## まずは黒で描こう

# Tips 7 着色は余裕ができたときに

デジタルグラレコでは、主線を中心に描いていきます。仕上げに使える時間にもよりますが、余裕ができたときに色を塗っていきます。塗る方法として、レイヤーを分けて塗っていきます。レイヤーの上下について、主線レイヤーの下に塗りレイヤーを置く場合は、そのまま塗って問題ありませんが、主線レイヤーの上に塗りレイヤーを置く場合は、塗りレイヤーの種類を「乗算」に設定しておくと、主線に影響なく塗ることができます。

レイヤーの扱いでよくあることですが、塗りレイヤーで色を塗っているときに描き足りない部分に気がついてしまい、塗りレイヤーのまま主線を描き込んでしまうことがあります。塗るとき、線を描くときは、今どこのレイヤーで描いているかをつねに意識をして描きましょう。

## レイヤーの使い方

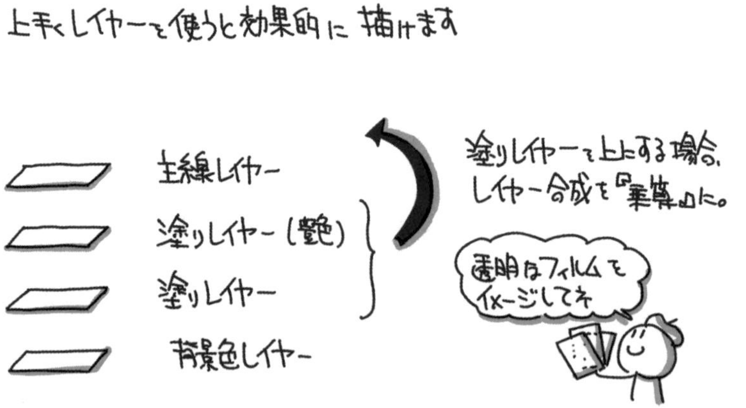

# Lesson 3
# イベント後編@オンライン

# Tips 1 データ修正に備えよう

デジタルでグラレコを描き上げたら、登壇者や主催者にグラレコの修正点がないかを確認します。デジタルでは、関係者がデータでチェックしやすく、修正もかんたんにできるため、オフラインのグラレコに比べると修正の依頼はよくあります。

名前の表記や細かいところで誤字脱字が見つかるものです。なるべく誤字や聞き違いは避けたいものですが、注意していてもミスが起こるのは仕方のないことです。「なにかしらの修正依頼はあって当たり前」と考えて、なるべく早く対応できるように心づもりをしておきましょう。

## 誤字ラ

## Tips 2 SNSに投稿してシェアしよう

描いたグラレコを、自身のSNSに投稿してシェアしたいと思うのは当然です。

グラレコをシェアしていいかどうかは、事前の打ち合わせだけでなく、投稿する前にも主催者に必ず確認しましょう。シェアする前には、修正点がないかも主催者や関係者に確認しましょう。グラレコをSNSにアップしてから修正依頼があったら、投稿をあわてて削除して修正することにもなりかねません。

私がシェアするときには、学んだことと、読んだ人が参考になるコメントとともに投稿しています。自分だけが満足してしまっていてはもったいないので、読んでくれた人がなにか学びや気づきを得られるように、ワンポイントでもいいので書くように意識しています。

なかには、自分の描いたグラレコをシェアすることを恥ずかしいと感じる人もいるかもしれません。さまざまな人の目に触れることで、思わぬ縁が広がったり、新しいグラレコの依頼が来たりするものです。ゆくゆくは仕事につながることもあります。

あなたがグラレコをしているのは、誰かからのオファーや要望、関係者の賛同があったからでしょう。あなたが描いたグラレコには必ず価値があります。ぜひ自信を持って、恥ずかしがらずにシェアしましょう。

Tips 3

# 動画を「グラレコ起こし」する

グラレコは、リアルタイムで記録するのが特徴です。オンラインではかんたんに録画できるため、最近は録画した動画からグラレコに起こすことも増えてきています。

動画は巻き戻しができるので描きやすいと思われがちですが、意外な落とし穴があります。何度も巻き戻しして見返してしまい、たいへん時間がかかってしまうことです。「巻き戻して見返せる」から、気がつくと「巻き戻さないときちんと描けない」状態になってしまうこともあるので、注意しましょう。

何度も巻き戻して見返さなくてすむようにするには、リアルタイムと同じように巻き戻さずに通しで見ることが大事です。聞き逃してしまったことがあれば、時間をメモしておいて、あとで見返しましょう。時間をメモしておくと、その場面をすぐに見つけられます。

本番以外でも、動画で自分の興味のあるコンテンツを見つけて、その内容をグラレコしてみるといい練習になります。ぜひ試してみてください。

# Chapter 6

## イベント会場で
## グラレコしてみよう

# Lesson 1
# 事前準備編@アナログ

## Tips 1 レコーダーのイベントへの関わり方を確認しよう

イベントでは、レコーダーはグラレコを描く以外の役割を求められることもあります。突然振られてあわてないように事前の打ち合わせで役割を確認しておきましょう。

最近、増えてきているのは、終了後に、レコーダーが、自分が描いて完成させたグラレコをもとに、登壇者の話の内容をみんなの前でコメントする役割です。もし発表の機会があれば、せっかくの機会ですから、積極的に発表していきましょう。

少々難しいのですが、登壇者と一緒に登壇し、講演者とレコーダーがコラボをするパターンもあります。

このコラボのおもな方法は3つあります。①登壇者が話した内容をグラレコしつつ、登壇者が拾っていく方法、②講演の合間でレコーダーがそこまでの内容をグラレコを見ながら要約する方法、③講演者とレコーダーが掛け合いながら進行していく方法、です。

この3つ以外の方法もありますが、いずれにしても主催者がなにをしたいのかが重要になるので、事前に確認しておきましょう。

### イベントでの関わり方を確認する

# Tips 2 描く場所を考えよう

会場でグラレコをするときには、「描く場所」も大事です。

会場で描く場合には、会場の前方、横、後方があります。もしくは別室や遠隔地でカメラ越しにリモートで描くこともあるかもしれません。これはオンライングラレコに近いといえるでしょう。

グラレコをする場所によっては、トラブルになってしまうことがあります。たとえば、会場前方で描くときには参加者の視線が登壇者よりもグラレコのほうに目移りするケースです。参加者が自分の話を聞かずに違うところを見ていると、登壇者が話しにくくなり、ストレスを感じるケースがあります。なかには登壇者からのクレームにつながることもあります。

ですので、主催者から会場前方で描くように依頼されたときには、登壇者の了解はとれているかを確認してください。

私のおすすめは会場の横や後方で描くことです。ここなら登壇者がグラレコを気にせずに話せます。

会場の横や後ろで描く場合にも、実際に描く場所があるのか、扉と干渉することがないのか、通行の邪魔にならないのかも確認しましょう。このあたりは主催者が気づきにくい部分なので、併せて確認します。

まだ会場の都合では、別室で描くこともあります。別室で描くときにはモニターを見ながらグラレコすることになりますが、重要なのは描く場所をあらかじめ実際に確認することです。いざ行ってみたら物置きみたいなところで描くことになり、十分なスペースがないこともありえます。スペースとしては、最低畳1畳ぶんはほしいところです。

私自身も行ってみたら、とても狭い部屋を提供されて、模造紙に描くスペースを確保するのに苦労をした経験があります。事前に確認しておけば、ほかのスペースを用意してもらえたかもしれませんし、そのスペースしかないとわかっていれば対策を練ることもできたかもしれません。

### 会場のどこで描く？

# Tips 3 描く媒体を決めよう

当日なにに描くのかをあらかじめ検討し、必要な物品やスペースなどについて主催者に確認します。なにに描くかは、模造紙、スチレンボード、はがして貼れるイーゼルパッド、ホワイトボードなどです。最近は、デジタルグラレコが普及しはじめているので、もしかするとリアルイベントでも電子黒板やタブレットも選択肢としてあるかもしれません。

**・模造紙**

模造紙の利点は、100均でも買える安さ、入手しやすさです。丸められることから、持ち運びしやすいことも利点として挙げられます。模造紙の場合は、持ち運びしやすいので、登壇者にプレゼントすることもできるので、最も多く使われる媒体です。

**・スチレンボード**

スチレンボードは、薄いスチロール板に紙を貼ったパネルで、ペンの色が非常にきれいに出ます。また、裏写りを心配する必要がないためさまざまなペンを用いることができます。ただし、スチレンボードは折りたたむことができないためか、非常にかさばります。また大型のスチレンボードは重く、値段も高いので、保存する場所や予算がある会場に限られます。

**・イーゼルパッド**

イーゼルパッドは、切ってはがせる複数枚の紙が重ねてある自立型のボードで、容易に持ち運びができ、かんたんに描けます。テーブルディスカッションなどで、非常に効果を発揮します。

ただ、サイズが少々小さいため、グラレコには若干不向きな側面もあります。またイーゼルパッドの上部はのり面であるために、インクが乗りづらくなっているため、その部分は描けません。そのため、イーゼルパッドは紙のサイズより描ける範囲が狭いといった特徴があります。

**・ホワイトボード**

ホワイトボードは、たいていの会場に設置されており、ホワイトボードマーカーで気軽に描いたり消したりできる、お手軽な媒体です。キャスターがついており、移動することも容易なため、会場内の設置の自由度は高いです。ただし移動は容易ですが、持ち出すことができないため、保存しておくことができません。写真などで残すのみになります。

最後にデジタルグラレコのツールについては、いろいろな機器がそろってきています。マイクロソフトのホワイトボードである「サーフェススタジオ」、グーグルの「ジャムボード」、もしくは電子黒板があります。個人であれば、iPadなどのタブレット端末があります。ただしデジタルグラレコについてはどこで掲示をするのかといった問題や、どうやって参加者にシェアをするのかなども事前に確認が必要です。

### なにに描くか確認する

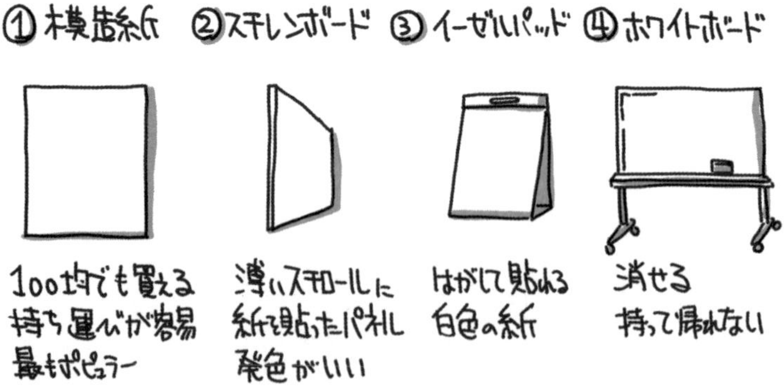

# Tips 4 複数人で描く場合には役割を確認しよう

大きなイベントでのグラレコは１人だけではなく、複数人のレコーダーで臨むことがあります。そのときに大事なことはレコーダーがどのセッションを書くかを事前に決めておくことです。そこで当日のスケジュールを確認し、どういったプログラムで行なわれるかを確認します。あまりタイトなスケジュールを設定すると仕上げの時間がなかったり、物理的に移動できなかったりしますので、事前にレコーダーの役割分担を明確にしておきます。

こうして無理のないタイムスケジュールでレコーダーの配置を決めておかないと、並行しているセッションとのダブルブッキングになってしまうこともあります。すると、思ったように描けないことや、仕上げの時間をとれないことにつながります。

レコーダーによっても描きやすい話や描きにくい話、描きたい話や描きたくない話がありますので、レコーダー同士で事前に意思疎通を図りレコーダーチームとして機能するように考えていきます。

複数人で描いた場合、完成後の達成感がとてもあるので、ぜひ機会があったら試してみてください。

## レコーダーの役割

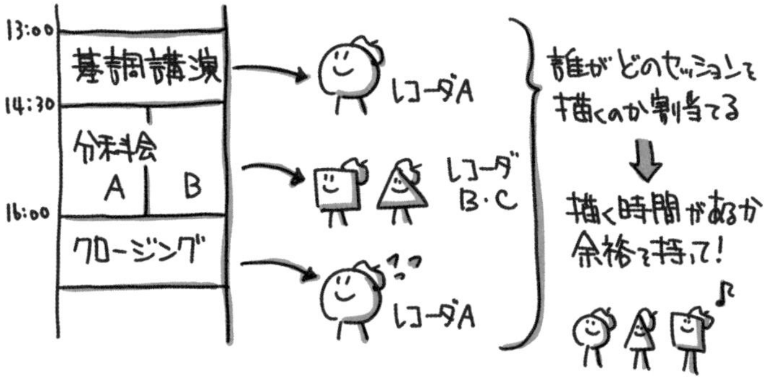

# Lesson 2
# 現場編@アナログ

## Tips 1 模造紙を貼る向きを考えよう

模造紙は、縦に貼る方法と横に貼る方法があります。それぞれの利点と欠点をよく理解したうえで、向きを決めましょう。

一般的に、グラレコでは、縦方向に模造紙を貼ります。

縦方向に貼る利点として、会場の場所をとらないことがあります。会場の都合で、柱などに貼ることが多く横幅があまりとれないためです。その縦方向のものが目にとまることが多いため、ポピュラーになったと思われます。

欠点は、レコーダーが模造紙の前で描いていると、グラレコの内容が見づらいことです。ほかにも描く位置が低くなるためのレコーダーは膝立ちになって描くことになり、描く姿勢がたいへんなことがあります。

横方向の利点は、横描きに向いていること、ホワイトボードに貼りやすいことです。欠点は、会場によってはスペースが確保しづらいことです。

### 模造紙を貼る向き

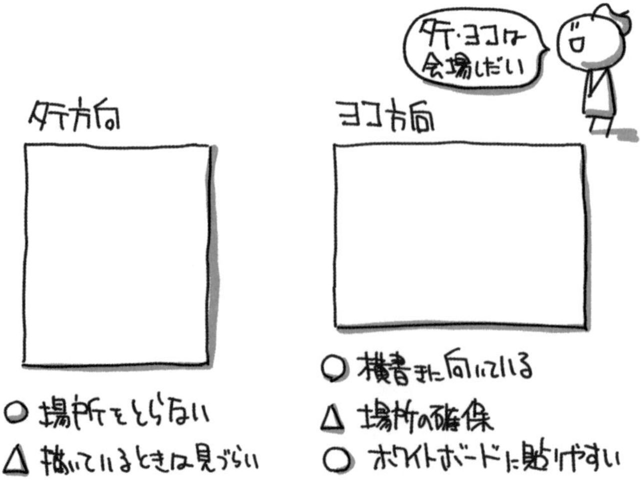

# Tips 2 壁に模造紙を貼るコツ

模造紙を壁に貼るには少し特殊な方法で貼ります。

まずテープを貼る前に、両端を少し折り込んではがしやすくします。つぎに模造紙を壁にテープでとめるのですが、テープの方向は模造紙上部では斜め上方向になるように貼っていきます。

斜めに貼るのは、重心が模造紙の中心にきて安定するためです。

くわえて、テープの端を織り込むと、しわやたるみを伸ばせます。

さらに両端を織り込むことによって、模造紙を回収するときにも内側からテープをはがせてかんたんに回収しやすくなります。

壁によっては、フェルト質などの壁などがあり、テープの粘着が弱くなるケースがあります。その場合には養生テープなどで一度粘着力の弱い壁に一列に貼り、その上からマスキングテープを貼ると、安定した粘着力を確保できます。

## 模造紙の貼り方

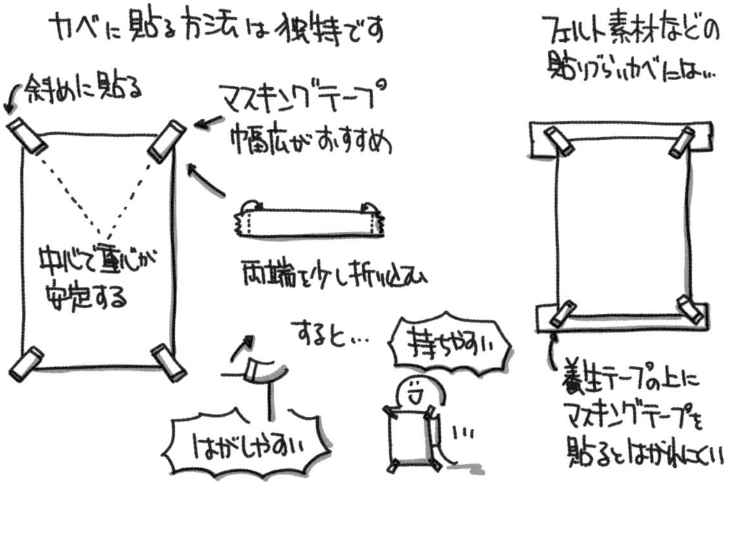

## Tips 3 ペンの裏写りに気をつけよう

壁に直接模造紙を貼って描くときには、プロッキーなどの水性ペンを使って裏写りしないように気をつけましょう。

模造紙をはがしたときに、壁にシミがあった場合、仮にもとからあった汚れでも、ペンで汚したと疑われてしまうことがあります。そういったことがないように事前に汚れがないかを主催者と会場運営者と確認したり、貼る前に写真を撮ったりしておきましょう。

または古い施設など、壁がひび割れていたり、塗装がはげかけているところにテープで貼った場合には、テープをはがすときに壁紙も一緒にはがれてしまうことがあります。こうしたことを避けるために、貼る前に、壁の状態を確認し、問題があれば主催者に確認することを強くおすすめします。

こうしたことはあとで厄介なトラブルになるため、壁に直に貼ることは避け、ホワイトボードなどの上に模造紙を貼るのが最近の流れです。

### 壁を使うときの注意

# Tips 4 ホワイトボードに模造紙を貼る

模造紙は通常壁に貼りますが、壁に直に貼ることを禁止されている会場もあります。これは仕方ないので、壁に貼る以外の方法を検討しましょう。

その１つは、ホワイトボードに模造紙を貼る方法です。模造紙をホワイトボードに貼るときには、ホワイトボードのレイアウトの関係上模造紙は横向きに貼ることになります。マスキングテープは壁に貼るのと同じように斜めに貼っていきます。マグネットを使えば、しわを伸ばし、たるみを解消できます。

ホワイトボードの空いたスペースにホワイトボードマーカーでメモをとることもできて便利です。ただし、うっかり油性ペンでメモしないようにくれぐれも注意してください。

## ホワイトボードに模造紙を貼る

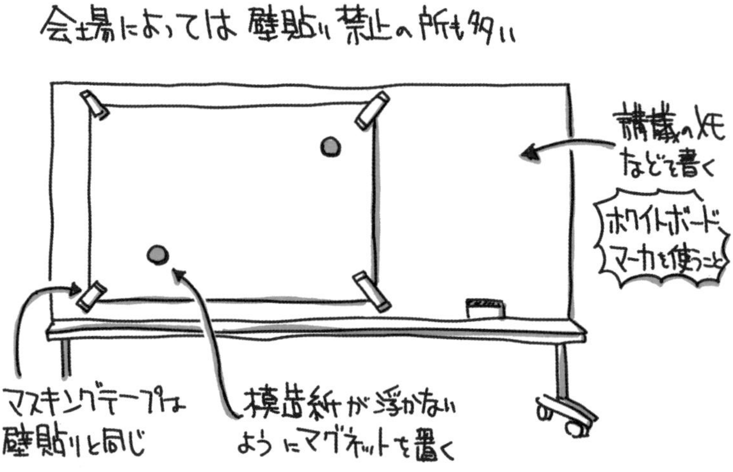

## Tips 5 たくさん描くときには模造紙を重ねて貼ろう

１回のイベントで複数枚の模造紙に描く場合には、事前に枚数分の模造紙を貼っておく必要があります。並べて貼るスペースがない場合には、模造紙を重ねておきます。こうすれば、模造紙を貼る時間を短縮でき、スムーズにつぎのグラレコに移行できます。毎回模造紙を貼るとなると位置決めから貼りつけ、シワ伸ばしまでやることがたくさんあり、時間がかかってしまいます。またあわてて貼ると模造紙の端で手を切ることもあるので、おすすめできません。

重ねて貼るときには、少しずつずらして貼っておくと、はがすときにかんたんにはがせます。そして描き終わったグラレコは１枚はがして展示スペースに運びます。

### 模造紙を重ね貼りする

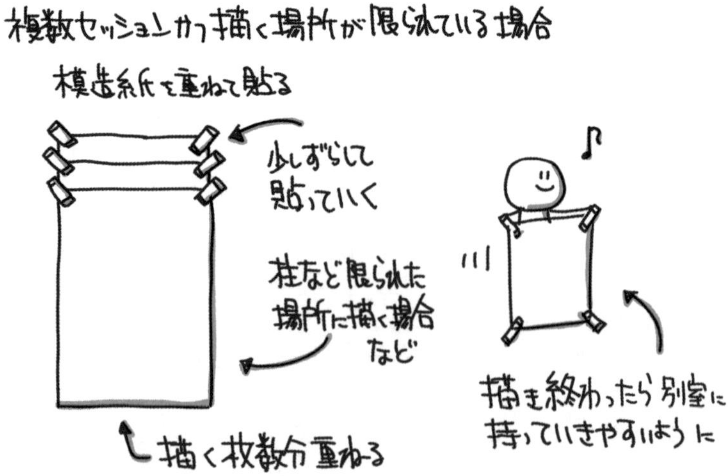

# Tips 6 ペンの「グラレコ持ち」をマスターしよう

グラレコをする際には、いろいろな色のペンを持って描きます。そのときにおすすめの持ち方が「グラレコ持ち」です。

利き手の反対側の手の指の間にペンのキャップの部分をはさんで持ちます。人によりますが、だいたい４本から７本ぐらいを持つことができ、自分が使いたい色をすぐに取り出せます。

なお、キャップから外すペンの数は１本だけにしましょう。キャップから２本のペンを取り出すと、しまうときに誤って違う色のキャップにペンを戻してしまうことがあります。そうすると、ペン先が汚れてしまい、そのペンは使いものにならなくなってしまうので、くれぐれも注意してください。

## 「グレレコ持ち」してみよう

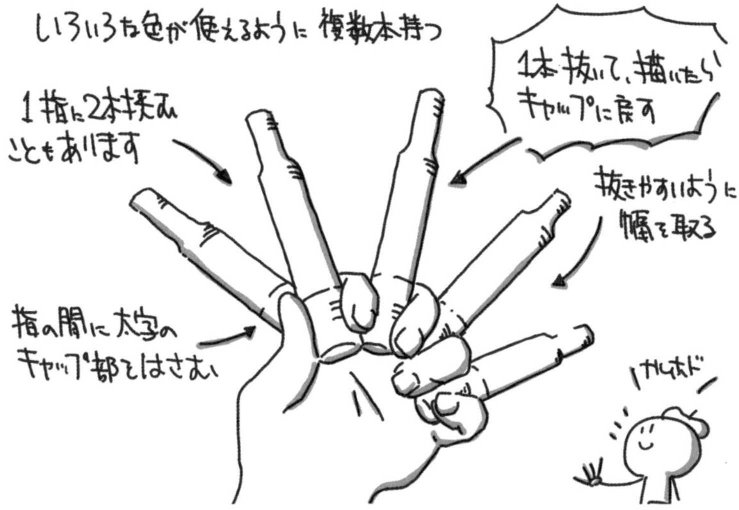

## Tips 7 ふせんを活用しよう

グラレコでふせんは大活躍します。ふせんにキーワードを書いて、それを模造紙に貼っていきます。模造紙に貼る方法は３通りあり、①トピックを描く予定のスペースに貼る方法、②模造紙の端に貼ってメモとして使う方法、③手元に保存して保存メモにする方法、があります。

ふせんをはがすときには、手前に引っ張るようにしてはがすと模造紙にきれいに貼れます。逆に上にめくるようにはがすと、模造紙に貼ったときにめくれて見づらくなってしまいます。

複数人でグラレコするときも、サポーターがふせんにメモして貼っていく方法もあって、ふせんは大活躍してくれます 。

### ふせんメモの使い方

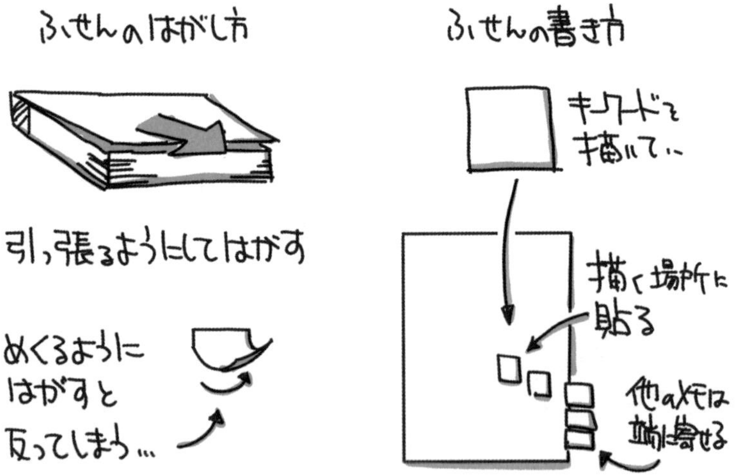

# Tips 8 レコーダー同士で協力して描こう

グラレコでは、１枚の模造紙に複数人のレコーダーで描くことがあります。描き方には大きく３パターンがあります。

１つめは、メインのレコーダーが黒で主線を描き、サブのレコーダーが色塗りや影つけを担当する方法です。

２つめは、メインレコーダーとサブレコーダーが同時に描く方法です。このときに２人のレコーダーが描く場所を分割して、担当分けすれば、スムーズに描けます。たとえば、パネルディスカッションなどは、発言する人の担当分けをして描くとスムーズに描けます。

３つめは、１人が全体的にグラレコをするのですが、２人めがキーワードなどを拾ってふせんにメモして、模造紙に貼るなどのサポートする方法です。

いずれの方法でもレコーダー同士が協力して描く作業はとても楽しいので、仲間がいたらぜひチャレンジしてみてください。

## 複数人で描く方法

Tips 9

# スライドが遠くて見えない

グラレコをするとき、登壇者の話を聞くのはもちろんですが、投影されるスライドも見ます。グラレコをする場所によってはスライドが見えないこともよくあります。そうした場面での対処法を紹介します。

１つめは、事前に配付された資料を見て描く方法です。配付資料があった場合には、資料を見つつ講演内容を聞きながらグラレコしていきます。ただし、資料を読み込みすぎないようにしましょう。当日の講演は資料とまったく同じことを話すわけではないので、実際に登壇者が話した内容と異なるものをグラレコしないように注意してください。

２つめは、いったん模造紙を離れ、メモを片手に講演を聞きに行く方法です。講演を聞いて書いたメモを元にグラレコに落とし込んでいく方法があります。これは時間に余裕があるとき有効な方法です。

３つめは、スライドを見ずに聞くことに集中する方法です。実際グラレコしているときには、位置的にはスライドを見られるものの、見る余裕がないこともあります。スライドを見ることは諦めて話に集中して描いていきます。

## スライドが見えないとき

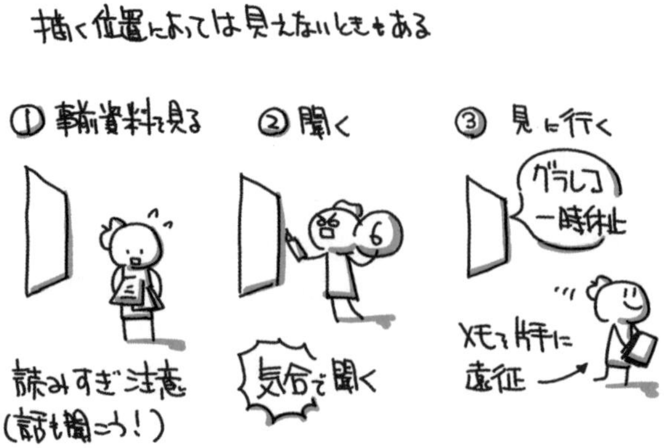

# Tips 10 登壇者が遠すぎて似顔絵が描けないときの描き方

グラレコは、いざ登壇者の似顔絵を描こうとしたときに遠すぎて顔がよく見えないことがあります。そうした場面での対処法を２つ紹介します。

１つめは、メモを片手に会場前方まで歩いていき、直接自分の目で確認する方法です。登壇者は、当日ドレスアップしてきていることが多いため、髪型やメガネなどのアクセサリーが事前資料と異なっていることもあるので、実際に自分の目で確認しましょう。

２つめは、イベントの案内ページ（サイト）を確認する方法です。イベントページには、登壇者の写真が掲載されていることが多いので、スマホなどでイベントページを検索し登壇者の顔を確認します。メガネをかけている、もしくはかけてないなどの多少の違いはあるかもしれませんが、直接確認できない場合、そこは割り切ってイベントページをもとに似顔絵を描きましょう。

３つめは、どこにも写真が載っておらず顔のヒントがない場合には、似顔絵に無理にこだわらず、諦めることも考えましょう。

## 登壇者が見えないとき

Tips 11

# 暗い場所で描くには？

暗い部屋でグラレコをするなんてありえないと思うかもしれません。でも実際には、意外と多くのイベントでは、演出上の関係で照明を落とすことがあります。そうした場面で、光を確保する２つの方法を紹介しましょう。

１つは、ミニライトで照らす方法です。光が弱く照らすが範囲もせまいため、イベントの演出を邪魔することはありません。ただし照らされる範囲がせまいため、つねにミニライトを動かしながら描く必要があります。

もう１つは、スライドなどの明かりを光源にして描く方法です。この場合にはスライドに背を向ける形となり、スライドを見ることもできませんし、参加者も描いている途中のグラレコを見ることができません。いずれにしても暗闇の中なので、イベント中は見せることを意識しなくても差し支えないでしょう。

これらの方法を使っても十分な光を確保できないこともあります。その場合は、目で色が識別できなくなってしまいます。すると、複数の色のペンを持っていても、どれも同じ色に見えてしまうのです。

こうした状況で、最も確実なのは黒１色で描く方法です。照明が消えて薄暗い中で描くときは黒１色で描き、明るくなってから改めて色をつけていくのが、最も確実な方法です。もし仕上げの時間がない場合には、黒のみで描いていきます。そのときに色のつけ方は、カラーは使わずに黒の斜線を使ったりして影などをつけていきます。黒だけで描いたクラシックレコーディングもなかなかいいものです。

上級者向けですが、あらかじめ３色程度のペンを指にはさみ、その位置を覚えておく方法もあります。完成形の色をイメージしてペンを選んで描いていきます。描いている最中は色がまったくわからないため、白黒にしか見えません。明るくなったときに思ったような色が使えていたときには達成感を味わうことができます。

機会があればぜひ挑戦してみてください。

## 部屋が暗いとき

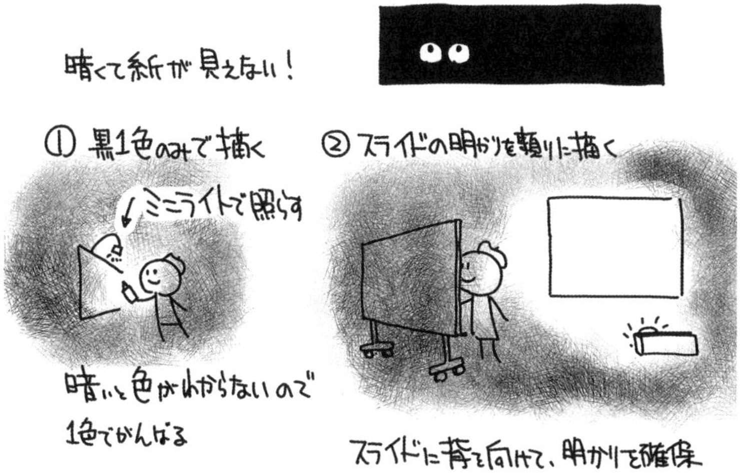

# 声が聞こえにくいとき

グラレコは静かな場所で描くものとは限りません。にぎやかな会場でマイクを使わずにしゃべる人の話を描くこともあります。また同じ会場でいくつかのグループに分かれてディスカッションをするときに、となりのグループの会話がまざって話を聞きわけづらくなることもあります。

こうした状況では３つの解決方法があります。

１つめは、いったん手を止めて、メモを片手に聞きに行く方法です。

２つめは、自分自身もグループディスカッションの輪の中に入り、一緒に対話する方法。この方法でもいったんグラレコの手は止め、メモを片手にグループの中でどのような話が行なわれていたかをメモします。

３つめは、聞けるところだけを描く方法です。大事だと思ったところについてはふせんなどでメモしておき、あとで参加者に聞いたあとに改めて描きます。大事なことは、聞こえなかったことにとらわれてしまい、筆を止めないようにすることです。

声が聞こえにくいとき

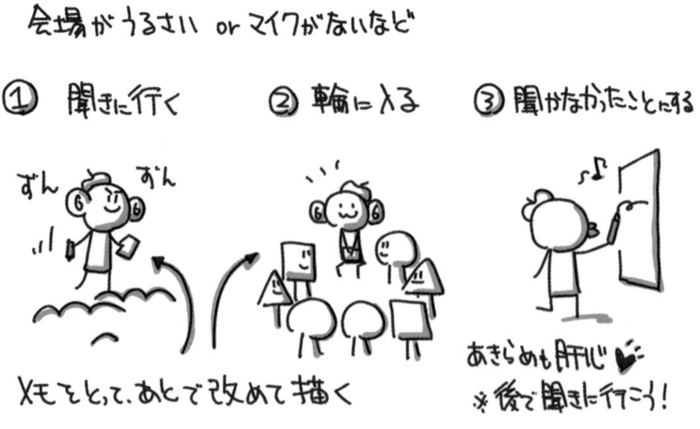

# Tips 13 聞き逃してしまったらどうする？

グラレコでは、どうしても聞き逃してしまうことがあります。聞き逃した部分をあとで確認して描けるように空白をあけておきましょう。うっかり描き込まないように、ふせんを貼っておくのがいいでしょう。

大事な話は、何度か繰り返されるものです。１回聞き逃してしまっても、諦めずにまた同じようなキーワードが出るのを待ちます。そのときには、聞き逃さないようにします。

同じようなキーワードが繰り返されない場合には、それほど重要なキーワードではないケースが多いといえます。そのトピックをあえて捨てるのもありです。聞きとれなかったことで悩んで筆が止まるくらいであれば、諦めて先に進むほうが全体としての仕上がりはよくなります。

なお、空白を残したところについては、登壇者やスタッフにあとで確認しましょう。聞き逃したことを改めて聞いて怒られることはめったにありませんから恥ずかしがらずにぜひ確認してみてください。

## 聞き逃したら

# Tips 14 描き間違えてもあわてない

グラレコしていると、描き間違えることもあります。基本的にペンで描いているので消せません。ミスを解消する方法はつぎの３つです。

①「古典的修正法」で修正する
②「魔法のシール」を使って修正する
③ミスを活かしてまた別のものにする

次ページ以降でくわしく紹介します。

実際には、描く時間が限られているので、ミスを修正する余裕がないケースもあります。その場合は、いったん後回しにすることもありますので、あまりミスを気にしなくても大丈夫です。

## ミスをしたら

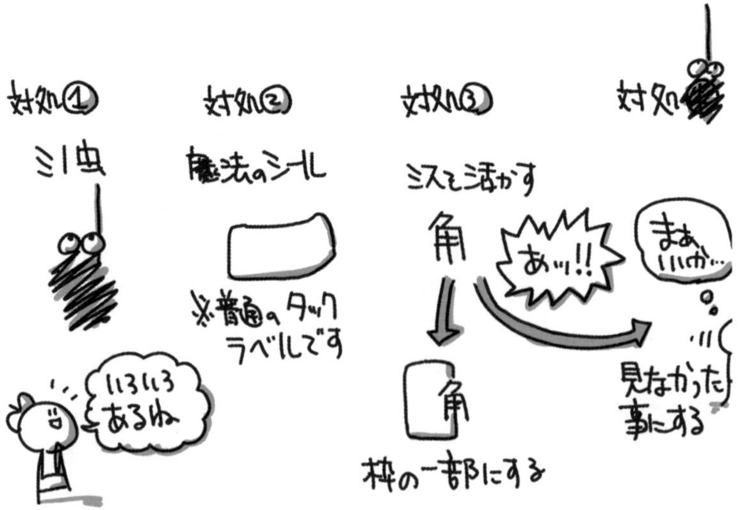

# Tips 15 ミスをしたら古典的修正法で直そう

グラレコをする際にミスしてしまった場合、古典的ともいえる単純な方法でミスを修正する方法を３つ紹介します。①ミノムシのようなキャラクターに変える方法、②黒ベタなどで塗りつぶしてしまう方法、③バツや二重線などの取り消し線を使う方法、の３つです。

①のミノムシは昔やったことがある人はいるかもしれませんが、ミスをした部分を塗りつぶしてそこに目を描いて虫のようにしてしまう方法です。縦に塗りつぶすとミノムシになり、横に塗りつぶすと毛虫になります。ミスをちょっとかわいいキャラクターに描き換えます。

②の黒ベタにする方法のうち、最もかんたんなのは黒い四角で塗りつぶすことです。星型や丸く塗りつぶしてちょっとオシャレに描くのもおすすめです。

③の取り消し線の方法は、バツを描いたり二重線を描いたりする方法があります。ほかには訂正印のような形でかわいいキャラクターを描くのもいいかもしれません。

## 古典的修正法

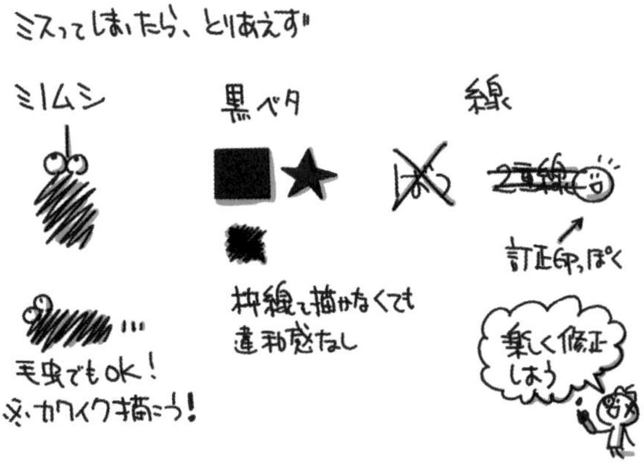

Tips 16

# 「魔法のシール」で修正する

シール修正法は、ミスをした部分に「魔法のシール」を使って修正する方法です。「魔法のシール」とは、100均で売っているような無地の「タックシール」です。このシールがあれば、ミスをした部分の上から貼ることによって、ミスをなかったことにできます。私はこのシールを「魔法のシール」と呼んでいます。

タックシールを買うときのポイントは「サイズ」です。小さなシールであれば、細かいところの修正に向いていますし、大きいサイズでは大きなところを修正できます。シールを買う際は、大中小のさまざまなサイズのシールをあらかじめ購入しておきましょう。

もし大きいシールがない場合は、ハサミなどで切って貼りつけてもいいですし、小さいシールしかない場合はシールを並べて貼ると、大きなミスを修正できます。いろいろ工夫ができますので、ぜひこの方法を使ってみてください。

## シール修正法

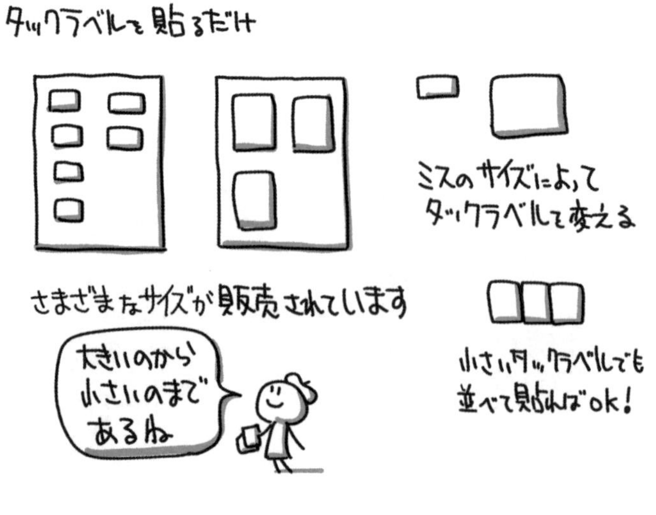

# Tips 17 ミスをミスにしない方法

グラレコには、描き間違いなどのミスはつきものです。ミスしてしまったときに塗りつぶすのは、もったいないケースもあります。どうミスをカバーすればいいかも学んでおきましょう。

たとえば日付を間違ってしまった場合、「2」なら下にちょっと書き足せば「3」になります。太字で強調して表現することもできます。こうすると描き間違えたことには気づきませんし、かえってかっこよくなるケースもありますので、チャレンジしてみてください。

もしくはキャラクターなどに修正用紙を持ってくるような絵を描き、キャラクターに修正の文言をフキダシでしゃべらせるのもありです。

「ミスをミスにしない方法」はここで紹介した方法以外にもたくさんありますので、いろいろなアイデアを思いついたらそれを試してみてください。

## 活ミス法

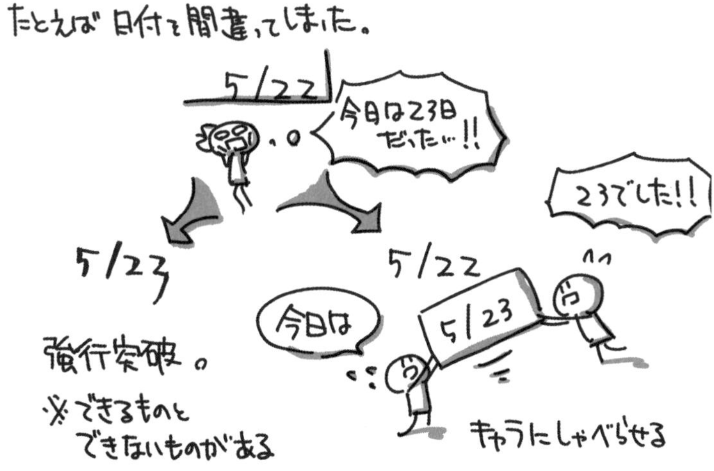

# Tips 18 意外と汚れるので気をつけよう

グラレコをするときには、ペンを抜いたり指したりするので、手や指先がよく汚れます。その汚れた指でうっかり服などをこすると、汚れが服についてしまいます。ペンを落としたときに服にぶつかり、服がペン先で汚れてしまうこともよくあります。

服を汚さずに描くのは難しいので、グラレコをするときには汚れるものとして、汚れてもいいような服装でグラレコの場に臨みましょう。晴れの舞台と思うと、ついついオシャレをしたくなってしまいますが、そこはグッとこらえて動きやすく作業に適した格好で描きましょう。汚れてもいいオシャレな服を選びましょう。

## 汚れてもいい服で

# Tips 19 ペンは太字と細字の色が違ってくる

私は、グラレコに使うペンをかんたんに捨てずに、インクを交換して使っています。そうするとエコですし、ランニングコストも抑えられます。使っていないほうのペン先はインクが濃縮されて、どんどん色が濃くなっていきます。いつもは太いペン先を使っていて、たまに細いペン先で描こうとすると、とても濃い色が出てしまい思ったように塗れないことがよくあります。

それを避けるために、ふだん太いほうのペン先を使っているなら、ずっと太いペン先を使い続ける方法があります。細い部分を描きたいときには、ペン先の尖った部分を使って細い線を描いていきます。

また、定期的にペン先を交換する方法もあります。ペン先は太字細字ともに販売されているので、一定期間使ったら定期的にペン先を交換しましょう。そうすると、つねに新品のような描き味をキープできます。

## 太字と細字の色問題

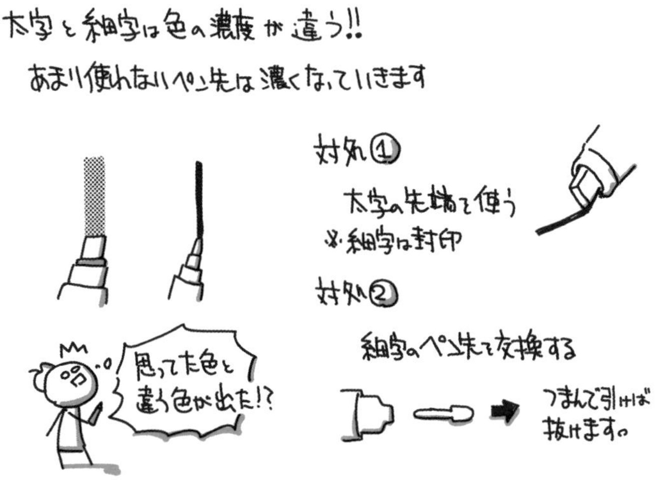

Tips 20

# インクが乾くまでじっくり待とう

グラレコしていると、黒い線の上から色ペンを重ねて描いたときに色がにじむことがあります。黒のペンが完全に乾く前に色ペンで描いてしまっているからです。

プロッキーなどのペンには、水性ペンでありながら「乾くと耐水性になる」という特徴があります。にじまないようにするには、「乾くと耐水性になる」特徴を利用して、乾くまで待ちます。ただボーっと待つだけではなく、しばらくはほかの部分の線を入れておき、乾く頃合いを見計らって、色ペンで塗るのです。

順番を逆にして描く方法もあります。薄い色で塗った上から濃い線を描くのです。ただし、この場合は出来上がりを想定しながら色を先に塗ることになるので、少し難しくなります。

あまり無理せず焦らずに乾くまで待ったほうが無難です。

## 色にじみ問題

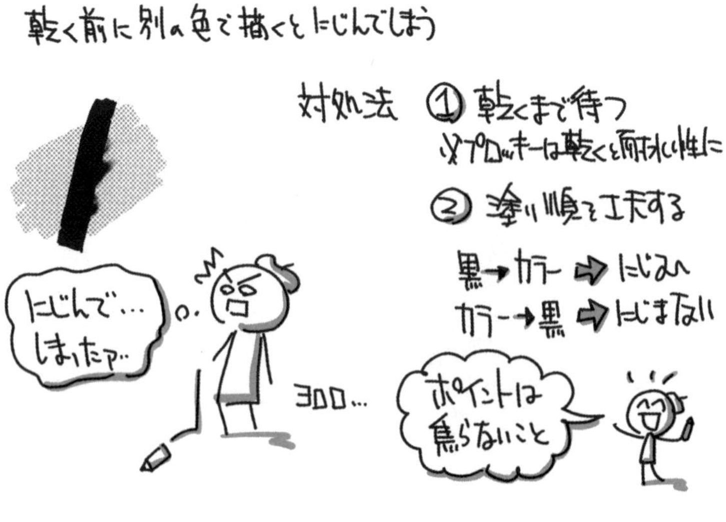

# Tips 21 模造紙のレイアウトを工夫してみよう

大きなイベントなどでは、複数のセッションが行なわれます。そのときに複数のレコーダーがそれぞれの模造紙にグラレコしていくことになります。描き方やデザインはレコーダーによってさまざまなので、それぞれが好き放題に書くと、全体がバラバラとなり、統一感がないグラレコになってしまいます。

その際に、統一したフォーマットのデザインを決めて描くと、全体に統一感が出て完成度が高いグラレコになります。とくに複数のレコーダーでグラレコに臨むときには、事前に統一したデザインルールを決めておくと、グラレコの質が劇的に向上します。

デザインをするときには、まずはレコーダー同士が話し合ってデザイン案を決めて、そこから主催者に提案します。もちろん先に主催者に確認してだいたいのデザインイメージを聞いてからレコーダー同士の意識合わせをしてもいいでしょう。

では、統一したデザインするにはどうしたらいいのでしょうか。いちばんかんたんな方法はヘッダーとフッターを合わせることです。

たとえばイベントのアイコンをヘッダーの左上部分などの決まった場所に描く。またタイトルの位置や文字の大きさを共通化する、タイトルの下に下線を引くなどが挙げられます。

フッターに統一感を持たせる最もかんたんな方法はラインを引くことです。ラインは同じ太さ、同じ色で描き、模造紙を並べたときに連続した線になるようにします。またラインの上にイベントの主催者の名前やレコーダーの名前を描いたりさまざまな描き方をできます。もしくはイベントにあったイメージを描く、たとえばSDGsであれば地球の絵を描いたり、まちづくりイベントであれば都会の絵を描くなど、模造紙を並べたときに全体として統一感がある景色が描けるようにデザインしていきます。

現場でヘッダーとフッターを上手に描くコツは、定規を使うことです。しかし定規を持ち合わせていることは、現場ではなかなかないので、代わりにペンを使います。たとえばレコーダー全員が持っているペンのキャップの部分までをタイトルの幅にすると決めたときには、ペンのキャップを紙に当てながら線を描きます。そのときに模造紙の切れ端で手を切らないように十分注意してください。もちろんペンでなくても、定規のようなものがあればなんでもかまいません。

また全体としての色味を統一すると、グラレコのデザイン全体が統一された印象になります。

### フォーマット

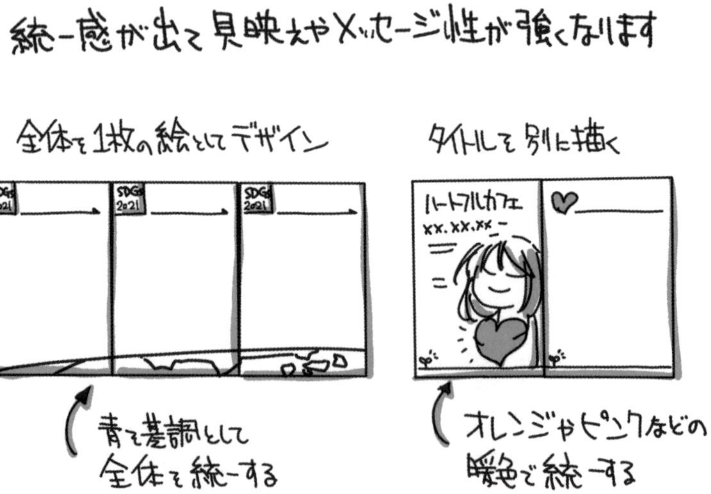

# Lesson 3
# イベント後編@アナログ

Tips 1

# 模造紙の片づけ方

イベントでは、片づけや撤収の時間はあまりないことがほとんどです。すぐに片づけられるように、工夫しましょう。

模造紙でのグラレコを例にとると、事前に斜め方向にマスキングテープを貼っていると思います。斜めに貼っているマスキングテープをまずは下のマスキングテープから、内側から外向きに向けてはがしていきます。はがしたマスキングテープは丸めずに、手の甲や壁などに仮止めします。

模造紙を壁からはがし、きれいに丸めます。そして、先ほど仮止めしたマスキングテープを丸めた模造紙に貼ります。

こうするとすぐに片づけられ、そのまま登壇者にプレゼントできるなど、さまざまな工夫ができます。

## 模造紙のしまい方

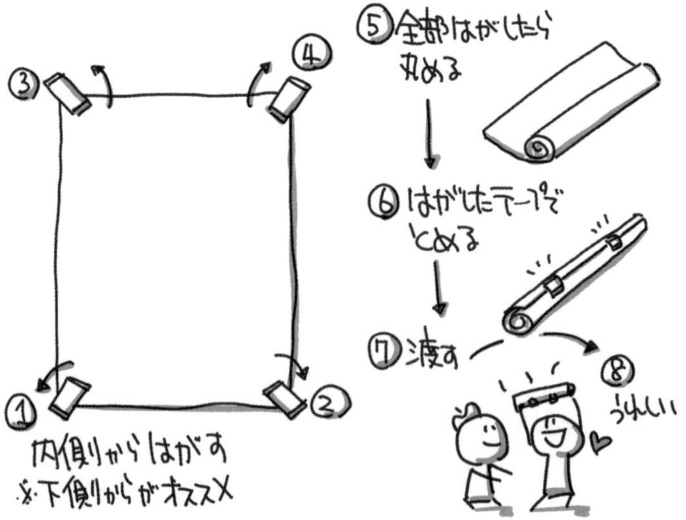

Tips 2

# 「作品」をきれいにデジタル化しよう

グラレコを模造紙に描いても、登壇者に渡したり、主催者に預けたりしてなかなか持ち帰ることはできないものです。描いたグラレコは、スマホやカメラなどで撮影してデジタル化しましょう。

せっかくデジタル化するのであれば、きれいに撮影したいものです。斜めに撮った紙を補正するアプリを活用して、きれいな四角形に整えていきます。私のおすすめは、マイクロソフトの「Microsoft Lens」です。

アプリを活用してきれいに写真を撮って残しておきましょう。

## デジタル化の方法

Tips 3

## イベント終了後は参加者とコミュニケーションをとろう

イベントが終了したあともグラレコが展示されている場合は、会場に残って模造紙の前に立ち、見に来てくれた参加者とコミュニケーションをとってみましょう。

グラレコに興味を持ってくれた参加者に、自分はなにが大事なポイントだと思ってグラレコをしたのか、参加者にグラレコを見てどう感じたかなどを中心に、参加者と対話しましょう。

こうした交流を通じて、思わぬ出会いや新しい機会や仕事につながることもあります。その場限りではなく、その先にもつながっていると考えて出会いを大事にしていきましょう。

### 会場に残って対話

## Tips 4 描くだけで終わらないようにしよう

せっかく一所懸命グラレコしても、イベントの都合やプログラムなど関係で、まったく触れられずに終わることもあります。参加者も興味を示さずに、そそくさと帰ってしまうこともあるかもしれません。私自身、模造紙の前に１人取り残され、なんともいえない気持ちになったこともあります。

そんなときでも、落ち込む必要はありません。「このイベントの主役はいったい誰か？」を考えると、主役は会場にいるみなさんです。レコーダーは引き立て役でありサポート役です。イベント中にグラレコを見ながら話を聞いていた人もきっといるはずです。

あなたが描いたグラレコや、それを描いた体験は無駄にはなりません。自信を持ってつぎのグラレコに臨みましょう。

### 描くだけで終わってしまった場合

## Tips 5 グラレコの「その後」を意識しよう

せっかく描いたグラレコをイベント後に、参加者の記念撮影や集合写真だけで終わらせてしまうのはもったいないと私は考えています。

たとえば、イベント後に懇親会がある場合は、その会場の目立つところに展示してもらい、参加者同士が振り返るときの対話に使えるようにします。

ほかにも、主催者などがオフィスに飾ってくれることもあります。

会場の参加者のためにグラレコを描くことも重要ですが、グラレコ終了後の使われ方にも意識を向けて描くと、モチベーションがさらに上がるかもしれません。

### グラレコ活用例

# Tips 6 「ちょっとだけアピール」しよう

グラレコをあとで見たときに、誰が描いたかわかるように、クレジットやサインを小さく描くのがおすすめです。

事前に主催者に承諾を得ておきましょう。承諾してもらえたら、グラレコが終わったあとに、模造紙の隅に自分の名前やSNSのアカウントを描いてみましょう。

グラレコは、描いたあとにいろいろな人に目に触れる場所で展示されることが多いので、展示されているグラレコを見た人に興味を持ってもらえるかもしれません。そこから新たな出会いや機会・仕事につながることもあります。

自分のホームページなどがある場合には、QRコードのシールや画像を貼りつけるのもいいでしょう。

## クレジットをかこう

## Tips 7 レコーダーとして人前で話してみよう

イベントでグラレコをすると、イベントの途中やイベント終了後にコメントを求められることがあります（204ページ参照）。いきなり司会にコメントを求められてもあわてないように、できればイベントの前に主催者と打ち合わせしておきましょう。発言にチャレンジしてみたい気持ちがあれば、「しゃべるチャンスがあったらしゃべらせてください」と伝えてみましょう。

話す内容は、与えられた時間によって変わりますが、慣れないうちは、グラレコをしたトピックを読み上げるだけでも、立派なまとめのコメントになります。もう少し慣れてきたら、トピックとそのトピックの内容を要約して話してみましょう。私はレコーダーとして話を振られたときには、参加者がとくに知りたかったであろうトピックを選ぶようにしています。

人前でしゃべると、多くの人の注目を集めることとなり、レコーダーとしてアピールすることにもつながります。ぜひチャレンジしてみましょう。

### 人前でしゃべってみよう

## Tips 8 参加者を巻き込んだイベントにしていこう

私がグラレコをやってきたなかで、参加者に最も喜ばれたのは、グラレコに興味を持った参加者の似顔絵をライブで描くことでした。これをするとイベントの盛り上がりにもつながるので、ぜひチャレンジしてみてください。

参加者の似顔絵をライブで描くといっても、難しく考える必要はありません。いちばんかんたんなやり方を紹介しましょう。

まずは、正方形のふせんに顔のベースとなる輪郭と目、そして口を書いておきます。そのときに、さまざまなバリエーションを用意します。顔の輪郭は丸型、角型、四角型、表情も笑顔だったり驚いた顔だったり、ウインクしたりとさまざまな顔を用意します。事前になるべくたくさんの顔のベースを用意しておくと、落ち着いて参加者の似顔絵を描けます。

つぎに、グラレコに興味を持って見に来てくれた参加者に、似顔絵を描いていいかを確認します。了解してもらえたら、事前に準備した正方形のふせんを選んでもらいます。そのときに参加者がいちばんお気に入りの輪郭と表情のふせんを選んでもらい、あとは参加者に似せて髪の毛を描き、メガネなどのアクセサリーや、かんたんな服装を描きます。

ここで、忘れてはいけないのは、名前を書くことです。これだけで似顔絵としての完成度は高まります。参加者の名前はふせんの下のほうに書きましょう。名前は参加者の本名ではなく、ニックネームを聞いて書くといいかもしれません。そうして描いた似顔絵はすぐに手渡ししてもたいへん喜んでもらえますが、イベント中は模造紙かホワイトボード、もしくは壁に似顔絵のふせんを貼って飾っておき、イベントが盛り上がった様子を表現するのがおすすめです。

## 参加者を巻き込んだ似顔絵奥義

描いた似顔絵のふせんは帰り際に参加者に持って帰ってもらいます。グラレコと似顔絵を描いたふせんを出口の近くに配置しておくと、渡しやすいのでおすすめです。そうすることで参加者は持って帰りやすくなりますので、人の流れである動線を考えて、ふせんのお土産を配置していきましょう。

私の経験上たいへん喜んでもらえることが多いので、ぜひやってみてください。

# Chapter 7

## 1on1で「グラフィック
## コミュニケーション」
## してみよう

# Lesson 1
# 1on1グラレコの基本

## Tips 1 グラフィックコミュニケーションの効果

グラフィックコミュニケーションは、1on1（1対1）でのコミュニケーションの手法で、紙をはさんで絵を描きながら対話していきます。

2人での対話でグラレコを使うと、それぞれが考えていることを可視化しながら相手のことを深く理解できます。

2人の対話にグラレコを使うシーンはたくさんあります。

友達同士の対話や悩み相談、上司部下の面談、カウンセリングなどあらゆる場面で使うことができます。

グラレコを活用して対話をするときには、正面に相対して座ったときに紙が間にあるため、直接的なやりとりを避けられます。2人の間にはさんでいる紙がクッションとなり言葉のやりとりが柔らかくなるのです。カウンセリングなどを行なう際に、対面に座らず直角（斜め）に座って、直接視線が合わないように工夫をすることもよくあります。

コミュニケーションで絵を使う大きな効果は、より伝わりやすくなることにあります。

お互い同じ言葉でしゃべっていたとしても、それぞれがイメージしていることはずれていることが多いためです。

たとえば、2人で話しているときに「きれいな空」という話題が出たとしましょう。「きれいな空」と聞くとあなたはどのような景色をイメージしたでしょうか？　人によっては真っ青な快晴をイメージするかもしれませんし、夕焼けなのかもしれません。また、その景色は田舎のものでしょうか、それとも都会のものでしょうか。私たちは「伝わっているつもり」でふだん会話をしていることがとても多いのです。

## グラレコを使ってコミュニケーション

私たちがイメージしている「伝わる」とは、頭の中にイメージしていることが、相手の頭の中にすっぽりと入ることです。でも、自分の思い通りにイメージは相手に伝わることはありません。

イメージしていることを言葉で伝えるためには、イメージを言葉に変換して表現する必要があります。この言葉は、自分自身が知っている言葉でしか表せません。対して、受け手のほうは、受けとった言葉をイメージに変換しますが、受け手のほうで自分が知っているイメージにしか変換できません。つまり、２回変換されているので、イメージがずれてしまいやすくなっているのです。そこで、相手の考えていることを絵にするとコミュニケーションがより円滑に進みます。

話すほうは、いつも通り「話す」「聞く」の繰り返しで、描くほうは「聞く」「話す」にくわえて「描く」ことになります。「聞く」「話す」「描く」の３つを同時にこなすのは、慣れないうちはとてもたいへんかもしれません。

見方を変えれば、グラフィックコミュニケーションは２人という最小人数でのグラフィックファシリテーションであり、やがて３人以上の会議やミーティングで実践するときの練習になります。

１対１での対話なので、まずは仲のいい友達や同僚を見つけて友達同士が話すような感覚で絵を描きながら、気楽に対話してみましょう。

Tips 2

# 「座る位置」を意識しよう

グラフィックコミニケーションをとるときの座る位置には、おもに2つの方法があります。

1つめは、向かい合って間に紙をはさんで絵を描きながら対話する方法です。2つめは、2人が横並びに並んで対話をする方法です。

どちらの方法も、2人の間に紙をはさんで、描いた絵を見ながら対話をするのは同じです。

## コミュニケーションの方法

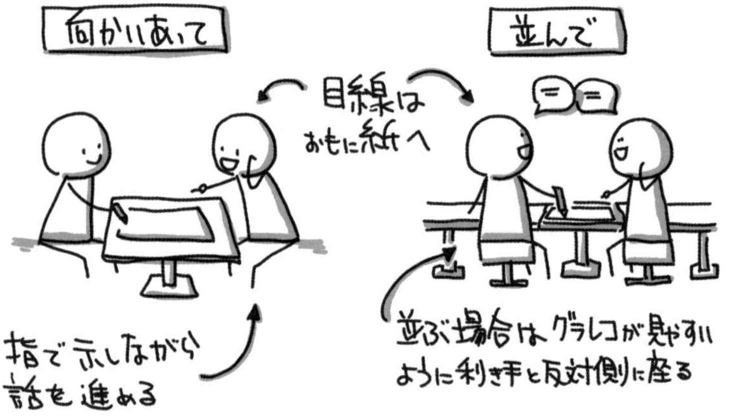

# Tips 3 対面でのグラフィックコミュニケーション

まずは机と紙をはさんで向かい合って座ります。このとき、「聞く」「話す」「描く」を同時にこなすことになります。たいへんに感じるかもしれませんが、前述したようにグラフィックファシリテーションの練習だと思って挑戦してみましょう。

このとき相手から描いたものがどう見えるかを意識しながら描きましょう。見やすいように太めの線（ペン）で大きく描きます。

描くときに注意したいのは、上下左右の向きです。

たとえば、左から右に流れる「→」を描く場合、自分から見て右から左に「←」を描きます。そうすると、正面に座る相手には左から右に流れる「→」に見えます。

さらに、上下は逆になることにも注意しましょう。「6」が相手からは「9」に見えたりすることもあります。上下逆さまに描くのはなかなか難しいものです。その場合には、言葉で補足しながら描きましょう。

## 相手の目線に立とう

また、お互い目線は紙に落とし、話している部分を指差しながら、いまどこをしゃべっているのかをお互い意識を合わせながら対話を進めていきます。

お互いに話しやすくなるように笑顔を心がけましょう。

**対面でのコミュニケーション**

## Tips 4 横並びでのグラフィックコミュニケーション

横並びまたは斜めに座ってグラフィックコミニケーションするときは、２人が横に並んで紙を間に置いて会話をします。

レコーダーは利き手の逆側に座ることがおすすめです。右利きの人は右側に紙を置いたほうが描きやすいので、左側に座ったほうが変に体をよじる必要がないので描きやすいです。そして、描いている部分が手で多少隠れて見づらい部分もあることを意識して、描いたあとに手をどかすなどして見やすいように配慮しましょう。

私は右利きなのでいつも左側に座るように心がけています。左利きの人は反対に座りましょう。

並んで座ると、対面と違って、上下左右が逆になる心配はないので、お互いが同じイメージを共有できます。

対面と同じように、紙を見ながら対話をします。

### 横並びのコミュニケーション

# Lesson 2
# 1on1シーン別のおすすめの使い方

## Tips 1 「わくわくシート」の描き方

ここからは、私がよく使う３つのパターンについて紹介します。友達同士で楽しいことを描くことができる「わくわくシート」、悩みを１つの世界観の中に書き出す「グラレコマップ」、親子や上司部下の間でも使える本当の夢を可視化する「夢の宝地図」についてです。

「わくわくシート」はコミュニケーションツールです。使い方はかんたんですのでぜひやってみてください。

まず、紙の真ん中に似顔絵を描いて、その周りに相手の好きなモノやことを描き出していきます。似顔絵の大きさは縦横１／５程度の大きさで描きます。体感的に小さく描くようなイメージです。

そして、似顔絵を描いたらタイトルを描きます。たとえば、「○○さんのワクワク」と描きます。それから好きなこと、ワクワクすることを相手に聞いていきます。描く数はいくつでもいいのですが、３つくらいが多すぎず少なすぎずとちょうどいいでしょう。描く位置は均等に配置していきます。

話を聞きながら絵を描くのは難しいと感じる人は、まずは文字で描き、あとでアイコンやイラストを付け足してもOKです。

この「わくわくシート」のおもしろいところは、相手が好きなモノを話しているうちにだんだんと前向きな気持ちになってくることです。話しているうちに相手の目が輝いてくることを感じられるでしょう。そして描き上げたらぜひ相手にプレゼントをしてください。きっととても喜ばれると思います。

## わくわくシート

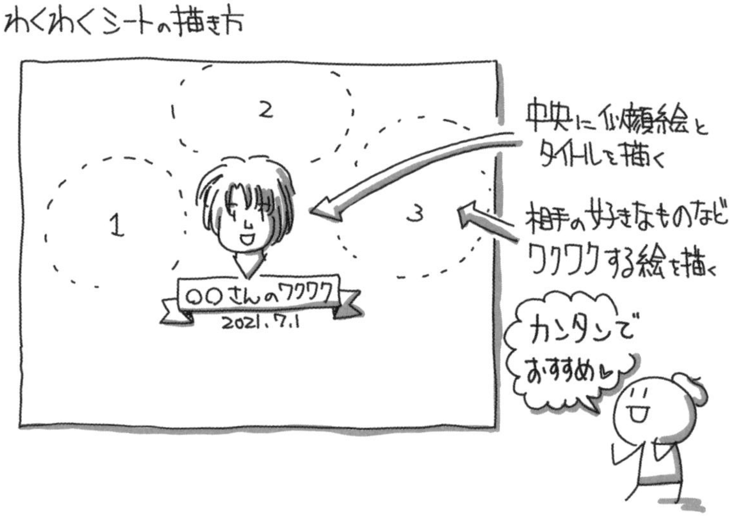
わくわくシートの描き方
2
1
3
○○さんのワクワク
2021.7.1
中央に似顔絵とタイトルを描く
相手の好きなものなどワクワクする絵を描く
カンタンでおすすめ♥

## Tips 2 「グラレコマップ」の描き方

相手の話を1枚の紙に描く「グラレコマップ」は、中央から描きはじめます。そして、聞いた話を横軸に過去現在未来の時間軸と縦軸にネガティブとポジティブの軸で配置をしていきます。描いていくなかで5W1Hの観点で景色を埋めていきます。

たとえば、「仕事が回らない」といった相談をグラレコするときには、「いつ（When）」「どこで（Where）」「誰が（Who）」「なにを（What）」「なぜ（Why）」「どうやって（How）」のそれぞれのうち、足りない情報を聞いていきます。

それが「When」であれば、景色の時間について描きます。たとえば時計や、太陽や月を描いて時間を表現していきます。

「Where」であれば、そのときの景色を描こうとすると、どこの話かが明らかになってきます。

「Who」であれば周りに誰がいるのか、相談できる人はいるのか。「What」であれば、なにをしようとしているのか、なにを持っているのかを描いていきます。「Why」や「How」は考えごとをフキダシにすると理由を表現できます。

そうやって足りない情報を付け足していくと、話をしている相手の考えがだんだん整理されていくのです。そのときに世界観も併せて描けるようになればよりよいです。たとえば都会の話なのか、海の話なのか。海であれば砂浜岩場海中のどういった場所をイメージできるのかを描いてみるようチャレンジしてみてください。

### グラレコマップ

「仕事が回らない」を例にとると……
動かないのは重いから？
メタファー化して
表現してみよう
いつ：
時計
日中
夜間
どこで：
都市
郊外
海岸
空白があれば
情報が足りないかも？
誰が
何を
何故

Tips 3

# 「夢の宝地図」の描き方

私が好きな対話の手法に、「夢の宝地図」があります。これは話し相手の本当の夢を深掘りそして可視化していく際に使えるツールです。

まず相手に「夢ややりたいことをどんな内容でもOKです。それこそ大げさなものでも荒唐無稽なものでも大歓迎です」と伝えたうえで、話を聞いていきます。どんなに無謀な夢でも笑わずに真摯に聞きましょう。

ここで出た夢は本当の夢ではないことがほとんどです。言語化された夢は表出された言葉そのものなのですが、その言葉の原点にはうまく言語化できない潜在的な過去の体験や価値観が裏に隠れているからです。

氷山をイメージするとわかりやすいでしょう。表出した夢は氷山の海面部分であり、氷山の下にその夢のさまざまな理由が隠れているのです。

ですので、語られた夢はいったん置いておき、つぎに「その夢が叶ったらなにをしたいか」を聞いていきます。この問いこそ本当にしたいことを掘り起こす魔法の問いです。

多くの人はこの問いを投げかけられたときに、黙って考えてしまうことが多いです。それは自分に対して本当にやりたかったことを問いかけている状態で、先ほどの氷山のたとえでいえば、海中に潜って潜在意識の中から探している状態になります。無理にせかさずに待ちましょう。

この待っている時間を利用して、夢の内容を絵に描いていきます。そして周りの景色も想像して描き足していきましょう。「この夢が叶ったらなにがしたい？」という問いは、「最初に語られた夢が叶ったら？」といった内容を３つくらい、「最初の夢が叶ったらやりたいこと」、左欄に「それが叶ったらやりたいこと」を３回程度聞いていきます。

そうすると、やりたいことがより鮮明になってくるでしょう。相手に

「やりたいことが叶ったら？」といった内容を聞いたら、夢の右上に描いていきましょう。横軸である未来に起こることで、縦軸であるポジティブなこと、そういったイメージで描き足していきます。

そして、やりたいことの先を聞いたら、そう思ったきっかけとなる出来事を聞いてみましょう。そうすることによって、過去に目を向けて、自分自身の価値観を形作った原体験を見つめ直すことができます。元となる体験は、元となる夢の左下に描いていきましょう。これは過去である横軸とポジティブになる前の段階という事で縦軸を下にとっていきます。縦軸を下にとったからといってネガティブな内容ではなく、ポジティブに行き着く前の状態を仮置きしたと考えるといいかもしれません。

こうして最初に語られた夢、さらにその先にある未来の夢。その夢を形作った過去の体験。それらが合わさって描かれることによって、よりその人自身のやりたいことやありたい姿が可視化できるでしょう。

上司と部下との面談で、部下の本当にやりたいことや価値観がわかれば、それに沿った形でマネジメントできます。三者面談のような進路相談の場でも、本当に大切にしていることがわかれば進路はもっと柔軟に選択できると信じています。

## 夢の宝地図

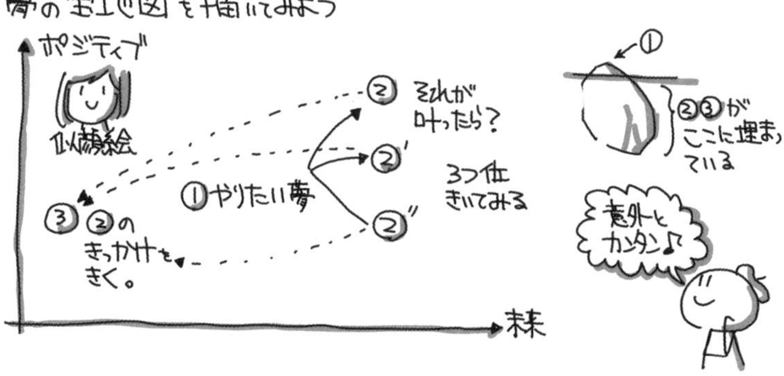

# Chapter 8

## 会議を「グラフィック
## ファシリテーション」
## してみよう

# Lesson 1
# グラフィックファシリテーションの基本

## Tips 1 絵で会議を進行する グラフィックファシリテーション

グラフィックファシリテーションは言葉通り、「グラフィック（絵を使って）＋ファシリテーション（議論・対話を進行する）」ことです。

そのときに会議（ミーティング）を進行するファシリテーターは、参加者の話を聞き、対話をし、ポイントをまとめて絵に描いていきます。参加者の数が変わっても、参加者全員がグラフィックを共有するのは同じです。

たとえば会議室にホワイトボードがあった場合には、ホワイトボードにグラフィックを描いて共有します。全員がホワイトボードを見られるように、椅子の配置をホワイトボード中心にコの字型にするなど工夫をしましょう。

またワークショップなどでグループワークをする場合は、中央に模造紙を置き、参加者が模造紙を中心にぐるりと周りを囲むように座り、同じ模造紙を見るようにしましょう。

### 代表的な手法

# Tips 2 グラフィックファシリテーションにチャレンジしよう

グラフィックファシリテーションといっても、いきなり参加者の前で「聞く」「まとめる」「描く」「話す」「進行する」を同時にこなすのは、とても難しく思えるかもしれません。

でも、難しく考える必要はありません。そもそも正解がないので、臆さずに描くことが大切だからです。

同じテーマでもそれぞれの参加者が持っているイメージはまったく違います。参加者の専門知識や背景が異なるのであればなおさらです。ですので、参加者の発言やその意図をすべて正確に描くことはまずできないと思ってください。

## グラフィックファシリに挑戦

まずは、ホワイトボード（模造紙）にあなた自身の理解や解釈で描いてみましょう。それが呼び水となって、参加者が「そう思う」「そう思わない」という意見が出てきます。まさにこれがポイントで、参加者の意見が違うことを可視化し、それをもとに意見やアイデアを出していくのです。

絵を描いて、違いを可視化することにこそ価値があります。

会社の会議など、一見同じことを考えているようなチームのメンバーでさえ、それぞれのイメージは大きく異なっています。

まちづくりの会議などは、会社という枠にとどまらず、多様な専門性や背景を持つ人たちが参加します。そのような違う人同士が集まって対話をすると、イメージはさらに異なり、議論がまとまらず空中戦になります。背景が違うとそれぞれの「普通」や「常識」が大きく異なるからです。だからこそそれぞれの参加者の考えや意見を絵で可視化し、お互いのイメージの違いを認識することからはじめましょう。

# Lesson 2
# ファシリテーションで活用したい
# 「図」

| Tips 1 | 「構造化」にチャレンジしてみよう |
| --- | --- |

グラレコをする際に、「構造化をしたい」という方はとても多いです。「構造化」と聞くと、なんだか難しそうに感じるものですが、それほど難しいことではありません。

かんたんにいうと、構造化とは、同じような情報を仲間としてまとめていくことです。グラレコでは、トピックに近いものを線で囲んでまとめていくことになます。

まとめる方法は、同じグループの言葉を線で囲んでいきます。通常グラレコするときには、トピックを書いてその周りに関連する言葉を集めていきます。

囲む線はきれいに描く宇必要はなく、多少ゆがんでいても問題ありません。また、さまざまな切り口で違う仲間同士を集められます。とくに会議などではさまざまな切り口で囲んでいきます。まとめる方法は、時と場合によって形を変えていくものです。

## 構造化のポイント

Tips 2

# 物事が順番に流れていく「プロセス」

情報をまとめる１つの手法として、「プロセス」があります。このプロセスは、ある物事や事柄が順番に行なわれたりする場合、工場や仕事での作業の流れであったり、ある人のストーリーである場合などで活用できます。

プロセスの描き方は、おもに矢印でそれぞれの要素をつないでいきます。大きな矢印を描き、矢印の中にコメントを描いていく手法もあります。プロセスを描くときに、単純な矢印でつなぐだけではもったいないので、グラレコではさまざまな形に工夫して描くのがおすすめです。たとえば、川の流れに見立てて流れを表現してもいいでしょう。山だけではなく、山道のように山の頂上へ向かうような道を描き、山頂へ至るプロセスを表現もできますし、未来に向けてのステップを表現することもできます。ほかにもさまざまなアイデアがあると思いますので、使う場に応じていろいろと描き分けてみましょう。

## プロセス

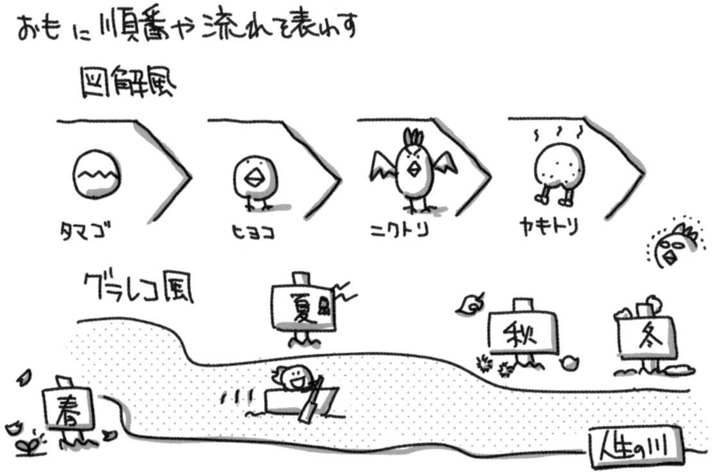

Tips 3

# ２つに分けて比べる「比較」

シンプルな構造化の方法として「比較」があります。比較では２つのグループに分け、それぞれの言葉がどちらのグループに分類されるかを描いていきます。分類の方法は、事前に分けておいてもいいですし、ある程度描いてから分けることもできます。できれば事前に分けておいたほうが整理しやすいので、あらかじめ分けるようにしましょう。

分類方法のおすすめとして、それぞれに反対の概念を描くといいでしょう。たとえば、賛成と反対、メリットとデメリット、過去と未来、などがあります。過去と未来であれば、左に過去を右に未来を描き、メリットとデメリットであれば、上にメリット、下にデメリットを描きます。そうするとひと目で理解しやすくなります。

## 比較

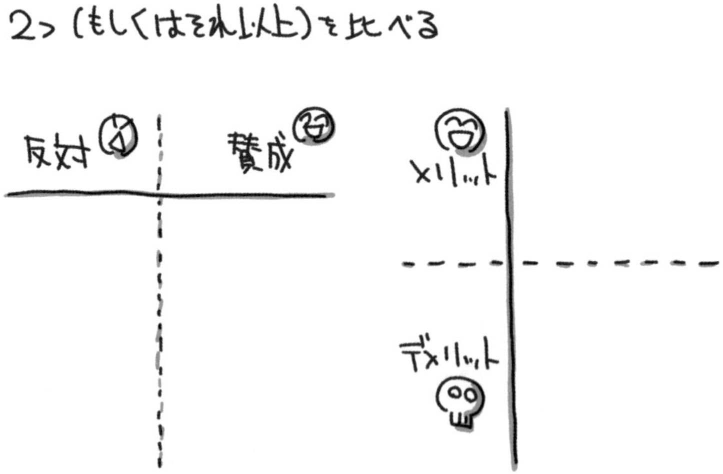

# Tips 4 ３つ以上を分類する「集合」

比較は２つを分類して比べましたが、３つの言葉を分類する場合には「集合」を使います。集合の特徴は、複数の集合を重ね合わせることによって、それぞれの集合の組み合わせを描きます。

たとえばABCの３つの集合があったとします。それぞれの要素を重ね合わせて描いたとき、さまざまな組み合わせを考えられます。A+BやB+C、A+Cなどの２つの組み合わせや、A+B+Cなど３つを満たす組み合わせを考えることができます。

３つ以上の要素について考える必要ができたときには集合で整理してみましょう。

## 集合図

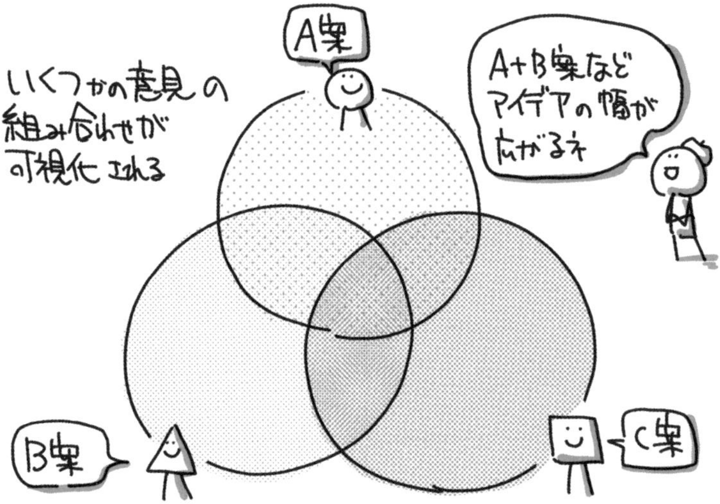

Tips 5

# 「2軸」を描いてみよう

構造化の手法のうち、上下左右の２本線を描いて４つに分類する手法があります。これを「４象限」「マトリクス」「ポジショニング」といいます。

この分類方法の特徴は、大きく４つの象限に分けられることにあります。たとえば、縦の軸にはネガティブとポジティブ、左右の軸には過去と未来をとることによって、右上の象限はポジティブな未来、右下はネガティブな未来に分類できます。

よく使う手法として、左下にある現在から目標とするポジティブな未来へ向かって目標を立てる手法があります。

縦横の軸のとり方は状況によってさまざまです。日常的にアンテナを張り、軸のバリエーションをストックしておきましょう。

またこの数字の分類は４象限だけでなく、もっと細かく、よりアナログな分類もできます。０か100ではなく、その中間に位置する場所に描く手法は「ポジショニングマップ」ともいいます。

## 2軸

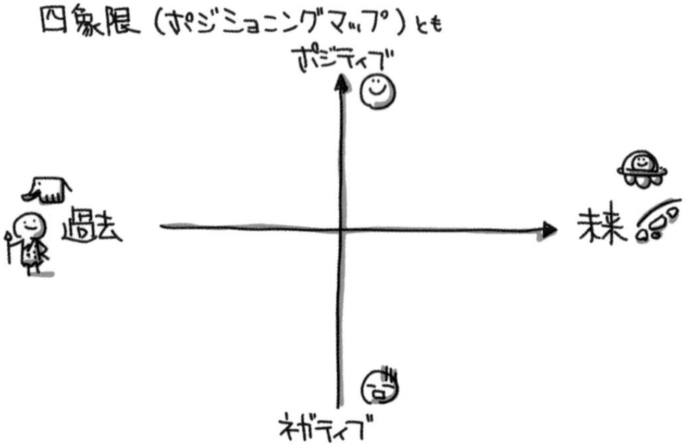

# Tips 6 自由なアイデアを出し合う「発散」

新しいサービスを考えるときに、自由なアイデア発想をするブレインストーミングを行なうことがあります。このときには「発散」がおすすめです。発散は、どんなところに話が飛ぶかわからないときにも有効です。

発散の描き方は、まず中央に会議のテーマを描きます。テーマはサービス名でもいいですし、対象となる顧客でもかまいません。今回の会議で話すテーマについて真ん中に描きます。

そして、意見が出るたびにテーマの周りに描いていきます。その際に、なるべく余白を多くとっていきます。余白をとることによって、新しい意見が出たときに、関連するキーワードの近くに描くことができるためです。詰めて描くと一見してきれいに見えますが、新しいキーワードを追加するときに苦労してしまうので、空白はなるべく空けて描きましょう。

## 発散

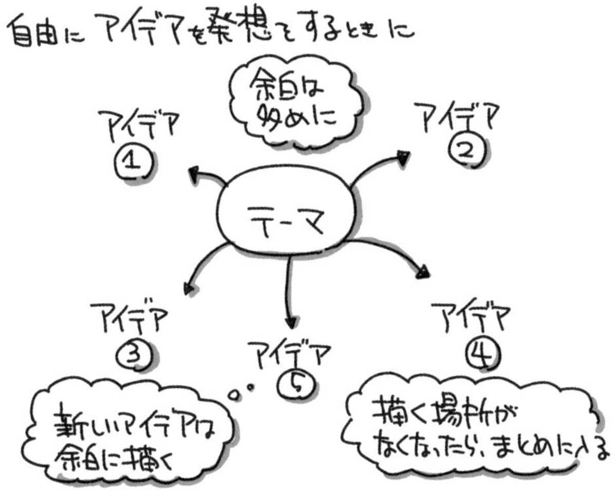

## Tips 7 テーマがあらかじめわかっている場合には「ツリー（型）」

　あらかじめ議題が決まっている会議では「ツリー（型）」がおすすめです。

　会議の進め方、会議のテーマを大きく描いて、そこから派生するトピックをそれぞれに描いていきます。

　発言やアイデアが出たら、それぞれのトピックに関連するグループに描いていきます。意見が飛躍することもありますが、飛躍した意見に近しいトピック周りに描きます。

　もしあまりにも飛躍しすぎて今回のどのトピックにも関係ないテーマが出たときには、その意見を否定せず、隅っこの方に描いていきます。これは「パーキング」という手法で、話した人を否定せず、いったん受け止めます。話した本人は自分の意見を受け止めてもらった気になり、そのあとに大きなトラブルにはなりませんので、ぜひやってみましょう。

### ツリー化

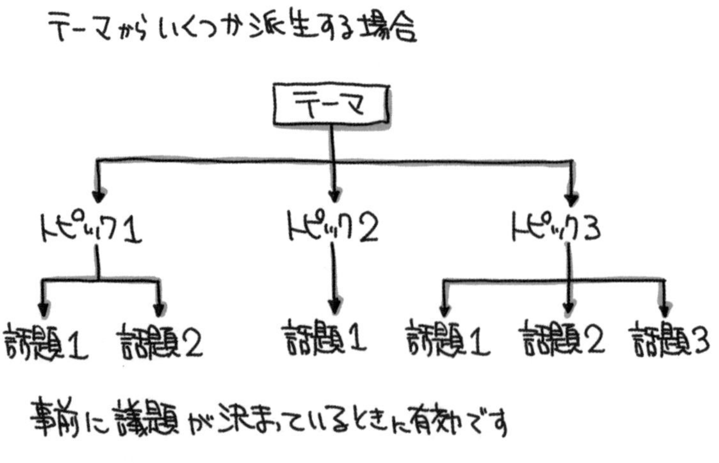

# Lesson 3
# シーン別の使い方

# Tips 1 会議で均等に意見を出す

３人以上の会議や、さまざまな背景を持っている人たちが参加する会議や、初対面の人たちが集まるイベントなどでのグループ討論などで、よく見られるシーンは、発言が多すぎる人や、ほとんど発言がない人がいることです。

せっかく会議に参加しているのに話さない人がいることに、ファシリテーターとして、もどかしく感じることも多いでしょう。

そんな場面でも、グラフィックを使えば、発言量を可視化でき、参加者に均等に発言してもらえます。

発言量を可視化して、発言を均等にしていく会議手法は、数人から十人程度の参加者の会議にとくに有効です。具体的なやり方を、これから説明していきましょう。

## 発言量の可視化

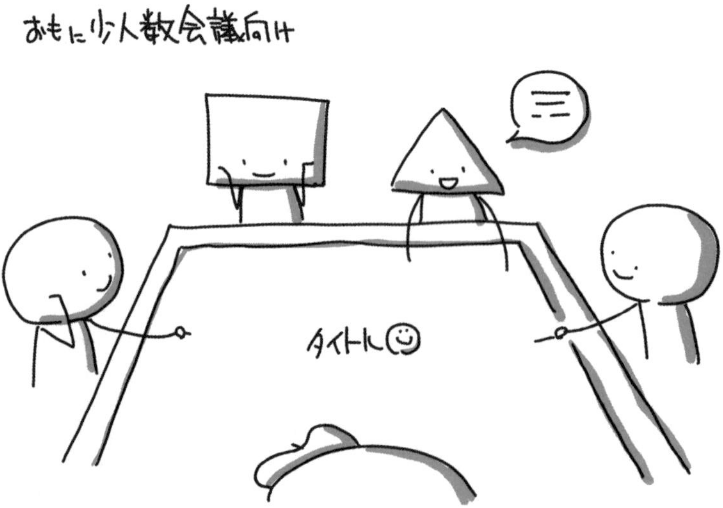

発言を可視化する具体的な方法は、会議の参加者は模造紙が置いてあるテーブルを囲んで座ります。会議を進行するファシリテーターは、真ん中に座ります。

そして模造紙のそれぞれの端に、人が座っている似顔絵を描いていきます。会議を進行していくなかで、参加者が発言をするたびにその人の周りに発言をキーワードで描いていきます。フキダシで描いていいでしょう。その際に、ファシリテーター手前の場所に枠や看板の絵を描いておきます。

そうやって会議を進めていくと、似顔絵の周りに言葉が埋まっている発言が多い人、似顔絵の周りに空白が多い発言の少ない人、それらが可視化されてきます。

このグラフィックをもとにファシリテーションしていきます。

発言の多い人には、「たくさん発言いただいてありがたいのですが、(もう描くところがなくなってしまったので、) ほかの人に聞いてみましょう」といって発言量を控えてもらう方法があります。

## 納得解に向けて

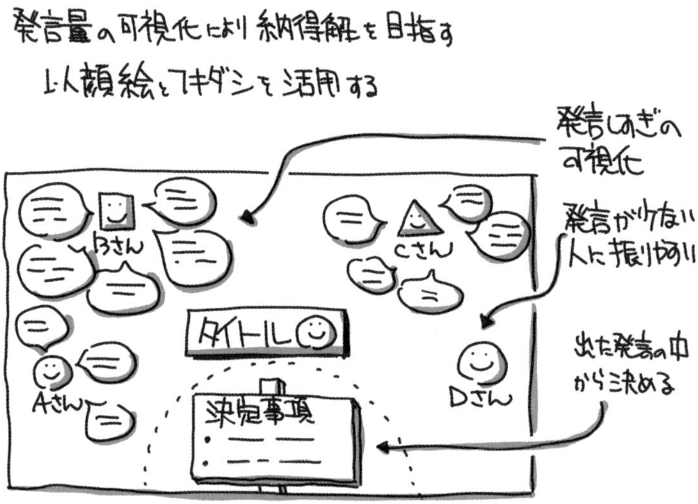

発言量が少ない人に対しては、「○○さんのお話をぜひ聞かせてください」もしくは、「○○さんはどういう意見をお持ちでしょうか」などと促すと発言を引き出せます。

どうしても発言できない人の場合は、「いままで挙がった意見のなかで、ご自身の意見が近いものはどれですか？　もしあれば教えてください」といって、現在挙がっている内容から発言を引き出せます。

そして意見がある程度まとまってくると、だんだんと描く場所がなくなってきます。そこでファシリテーターは「そろそろ描く場所がなくなってきましたので、このなかで大事なものを３つ選んでみましょうか」と参加者に促し、出た意見に該当する発言に目印をつけていきます。

そのあと、ファシリテーターの前に事前に描いておいた枠や看板の絵が描いてある場所に、先に挙がった意見を描いていきます。そのときに看板を使ったりとか飾り文字を使ったりして、にぎやかに描いてみましょう。

そうすることによって、参加者の意見を比較的均等に出すことができ、唯一の正解ではなく、みんながだいたいこんなもんだよねという納得解を得られます。

## Tips 2 目標とする感情を共有しよう

会議をするときに、つい箇条書きの文字に頼ってしまいがちです。

たとえば、「お客様が喜ぶサービスを考えよう」と板書して会議をはじめ、出たアイデアを箇条書きにしていく……。ごくありふれた会議の風景でしょう。

この「お客様が喜ぶサービス」については、誰も異を唱える人はいないと思います。しかし、「お客様が喜ぶ」とは、いったいどういう状態でしょうか。そのときどのような表情をするのでしょうか。

会議の参加者がイメージする「喜ぶ表情」は、それぞれ異なっているのではないでしょうか。そのように目指すべき「喜ぶ表情」がずれている状態で議論していては、まとまるものもまとまりません。

そうして会議は迷走していきます。それぞれがそれぞれの持っているイメージで話してしまうため、議論はかみ合わず、いわゆる空中戦になっていきます。

こうした会議こそ、グラフィックファシリテーションを活用したい場面です。

はじめにゴールであるサービスの対象となる、たとえばお客様の喜んだ感情をホワイトボードに描き出します。

つぎに、お客様の現在の感情も可視化していきます。そのようにして、現状の表情と目指すべき表情を参加者全員で共有してから会議をはじめます。

そして、現状と目指すべき感情のギャップを参加者全員で共有しながら議論を進めていきます。

さらに、現状の感情と目指すべき感情とのギャップを埋めるにはどういったサービスをしたらいいのか、議論の方向性が明確になり、アイデアが出やすくなり、議論がまとまりやすくなります。

ここではビジネスの話をしましたが、この手法はほかのシーンでも使えます。たとえば家庭で考えてみましょう。お休みの日にどこに遊びに行こうかを家族で考えるシーンを仮定します。家族のみんなが笑顔になる、それはどんな笑顔だろうかを家族で考えます。微笑なのか、テンションが高い笑顔なのか、そしていまの家族の表情はどんな表情なのだろうか。

その感情のギャップを埋めるためには、海へ行くのがいいのか、山へ行くのがいいのか、それとも遊園地に行くのがいいのか。そういった感情を家族みんなで共有して、企画するというのもまたおもしろいでしょう。

**感情ギャップ**

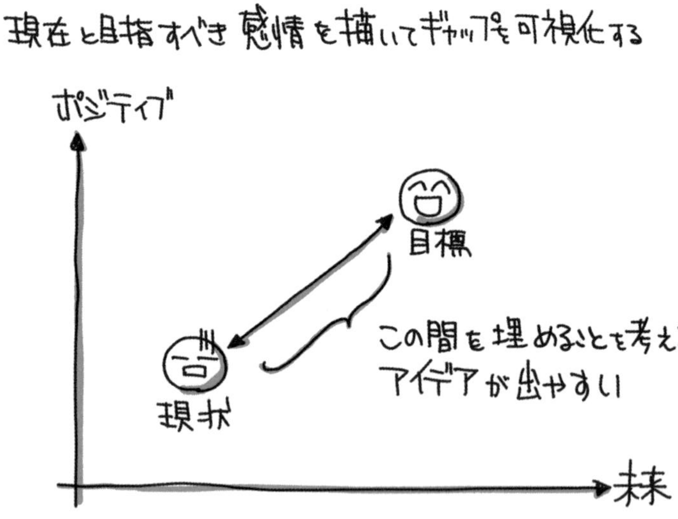

# Tips 3 共感する会議をしてみよう

サービスを考える会議では、アイデアの出し方はどのようにしているでしょうか。多くの会議では出たアイデアをとにかく箇条書きにしているのではないでしょうか。もしくはふせんにアイデアを書いて貼りだしているかもしれません。

その手法自体に問題はありませんが、サービスを受ける顧客の感情を考え、共有しながら議論しているでしょうか。

たとえば「お客様の困った」を解決しようとする会議をするときに、「いったいお客様はどんな感情で、そしてどんな顔で困っているのか?」を深く考えずに、言葉だけで議論していませんか?

こんなときこそ、グラフィックの力を活用しましょう。

おすすめの方法は、いったん顧客の困った感情から出てくる顔を、参加者同士で共有してから会議を進めます。すると、顧客の感情に寄り添ったアイデアが出てきやすくなります。我々は感情の生きものなので、感情抜きで出したアイデアは顧客には届きません。

## 共感マップ

Tips 4

## 目標に至る道筋を可視化してみよう

目標を決める会議のときに、目標に対してどういったアプローチを取るかをグラフィックにして表現をする方法があります。

たとえば、会議で出た意見について、ある目標に対して手順を踏んで順番に行なう方法と、強引ではあるが最短で達する方法があった場合を仮定しましょう。

そういったときには、板書する際に山の絵をイメージして、順を追って行なう方法をなだらかな登山道として、最短で行なう方法は急な上り坂としてイメージして、登山道を描く場所に板書を配置していきます。慣れないうちは、山と道をあらかじめ描いてから板書しても大丈夫です。

グラフィックファシリテーションならではの方法として、一例をあげると、絵を描いたのちに、山にリフトやロープウェイを描きます。

そこで会議の参加者に「いままでは登山のイメージで書いてみましたが、もっと楽に登山ができる方法はありませんか？　たとえばツールを使うとか」と問いかけます。または、ヘリコプターの絵を描いて、「外部の力を借りてもっと楽に行ける方法はないでしょうか？」などと問うてもいいかもしれません。イメージを共有することでアイデアの発想が活発になってきます。

また、目標実現に課題が出てきた場合は、道の途中に岩や猛獣、霧や雲を描いて、「目標実現に対する障害物ってなにかあるでしょうか？　道をふさぐ岩？　それとも見通しが立たないこの霧？」などと問いを立ててもおもしろいかもしれません。

山以外にもイメージする方法はいくつもあります。たとえば大海原で表現しても良いでしょう。その場合には、大きな船、小さな船、手漕ぎ、ヨットなど、さまざまな乗り物になぞらえてもおもしろいです。ヨット

### 目標に至る道のり

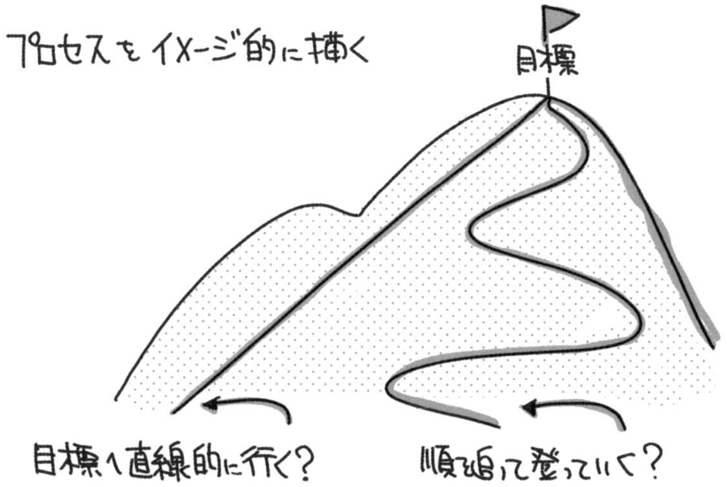


になぞらえる例をとると、「前に進むためには風が必要ですが、風はありますか？　また風を起こす方法はありますか？」と問う方法。また、ヨットの面白いところは、深刻になってしまいがちな課題を抱えた会議の際に、「ヨットは前に進むためには向かい風が必要です。いまは逆境ではありますが、もしかしたらこの逆境こそ私たちの船（ヨット）が前に進むチャンスかもしれません。逆境の見方を変えて、向かい風を前進に変えるアイデアを出していきましょう」と進行していくと、ネガティブになりがちな会議はまったく意味が変わってきます。

海の場合は、課題としての表現である障害物はたくさん表現できます。高波、渦、嵐、雷と遊び心を入れつつ書いていきましょう。

ほかにも、目標を描く場合は新大陸でもいいですし、北極星などの星、コンパスや羅針盤。ほかにもまだまだたくさんあります。こうやってアイデアを出していくと表現の幅だけでなく、アイデアの幅がどんどん広がっていきます。

# おわりに

グラレコ上達の近道は、「学ぶ→描く→見せる」を繰り返すことです。

本書を読んで、もっとグラレコを勉強したいと思った人は、友人や同僚などを誘って「グラレコ勉強会」をしてみましょう。ネットで「グラレコ 勉強会」を調べるのもおすすめです。

独学では限界がありますが、他人のアイデアや意見を聞くと、グラレコの引き出しが増え、上達のスピードがどんどん上がっていきます。

勉強会の進め方はかんたんです。動画や記事などなんでもいいので、グラレコの題材となる話を用意し、参加者それぞれがグラレコをします。描いたグラレコを見せ合いながら、「できたところ」「できなかったところ」「工夫したところ」などを話し合います。いいと思った描き方やアイデアはどんどん取り込んで、腕を磨いていきましょう。

そして、少しは描けるようになってきたなと感じたら、イベントでのグラレコにチャレンジしましょう。興味のあるイベントを見つけたら、思いきって主催者や事務局に「グラレコ見習い中ですが練習をさせてください！」といってみてください。

最初はとても勇気がいりますが、さらなる一歩を踏み出してみてください。ほとんどの場合、快く受け入れてもらえるはずです。

さまざまな場面で描き続けて、グラレコを見た人に喜んでもらえるようにしましょう。この喜びこそ、レコーダーが生み出す価値です。この価値を提供し続けていれば、「対価を払ってでも描いてほしい」という仕事のオファーにつながるかもしれません。

私自身は、グラレコを描き続けたことによって、人生が大きく変わりました。さまざまな人との出会いや縁、機会に恵まれ、会社以外からの収入を得られるようになり、こうして出版することもできました。なにより、グラレコがますます楽しくなりました。

本書やグラレコが、読者のみなさんの仕事やライフワーク、そして人生を、よりいい方向に描きかえるきっかけになれば幸いです。

最後までお読みいただき、ありがとうございました。

2021年８月　本園 大介

**本園大介**（もとぞの　だいすけ）

グラフィックコミュニケータ。大手通信関連会社に勤務。社外のワークショップで、口べたの自分でも絵なら伝えられることに感動し、独学でグラフィック・レコーディング（グラレコ）を学ぶ。企業、官公庁、地方自治体、NPO、地域コミュニティ、大学など、これまで500件以上のイベントでグラレコを担当。自身が体系化したグラレコのノウハウをSchooやセミナーで指導し、受講者から「絵心がなくても描ける」と大好評。これまでに指導した人数は10,000名を超える。受講者からグラフィック・レコーダーとして活躍する人が生まれている。精力的に活動しながら、グラレコの魅力と可能性を追求・発信している。

メールアドレス motozono@egaku.info
ホームページ https://www.egaku.info
Facebook https://www.facebook.com/daisuke.motozono
Twitter　@Zono_Moto

その場《ば》で「聞《き》く・まとめる・描《えが》く」

**グラレコの基本《きほん》**

2021年 9 月10日　初版発行

著　者　本園大介 ©D.Motozono 2021
発行者　杉本淳一

発行所　株式会社日本実業出版社　東京都新宿区市谷本村町 3－29 〒162-0845
編集部　☎03-3268-5651
営業部　☎03-3268-5161　振　替　00170－1－25349
https://www.njg.co.jp/

印刷・製本／中央精版印刷



ISBN 978-4-534-05874-4　Printed in JAPAN